C'est MOI qui l'ai fait!

Données de catalogage avant publication (Canada)

Brouillet, Chrystine

   C'est moi qui l'ai fait !

   Pour les jeunes.

   ISBN 2-89077-223-3

   1. Cuisine - Ouvrages pour la jeunesse. I. Beauregard, Christiane. II. Titre.

TX652.5.B77 2001   j641.5   C2001-941510-9

Chrystine Brouillet et Christiane Beauregard sont photographiées par Josée Lambert dans les jardins du Château Ramezay.

Conception graphique et mise en page : Maheu Arbour

Tous droits réservés
ISBN 2-89077-223-3
Dépôt légal : 4e trimestre 2001

Imprimé au CANADA

C'est MOI qui l'ai fait!

Chrystine Brouillet

Illustrations de

Christiane Beauregard

Avec la collaboration de Louise Loiselle

Flammarion
Québec

Introduction

Ma grand-mère faisait cuire cent tartes à chaque fête de fin d'année. Cent tartes aux fraises, au sucre d'érable, aux bleuets, aux pacanes… pour être prête à accueillir sa famille, les voisins et les amis qui n'auraient jamais refusé une invitation chez elle! Le parfum de la pâte qui dorait au four a enchanté mes Noël, comme l'été, la crème fraîche baratée par mon grand-père Jean qui nappait les framboises cueillies à l'aube. Comment ne pas être gourmande avec de pareils souvenirs? La gastronomie est mon péché mignon, ma passion, mon plaisir et j'ai eu envie de partager avec vous des recettes qui prouvent qu'on peut cuisiner simplement et obtenir des résultats épatants.

Il y a cependant des règles à respecter… Pour réussir vos plats, il faut un zeste de patience, une louche de curiosité, une dose de persévérance et une bonne mesure de gourmandise. À ces ingrédients, il faut ajouter le souci d'utiliser des produits de bonne qualité, des fruits ou des légumes frais, une grande prudence avec les ustensiles coupants ou pointus, avec les feux et le gaz, et le respect des quantités indiquées dans les recettes (surtout s'il s'agit de pâtisserie!). Mais observer une certaine rigueur dans la lecture d'une recette et dans l'élaboration des plats ne veut pas dire que vous ne devez pas innover. Au contraire! Écoutez vos papilles, votre imagination, détournez les recettes en y apportant votre grain de fantaisie, votre personnalité: vous découvrirez peut-être des arômes inconnus, des mariages insolites mais irrésistibles… qui sait, un grand chef sommeille peut-être en vous?

Je souhaite que ce livre vous donne envie de pénétrer dans le monde merveilleux, surprenant, envoûtant des saveurs et que vous vous amusiez autant que moi à faire ces recettes. Et à les déguster!

Bon appétit!

Chrystine Brouillet

Comment dresser la table

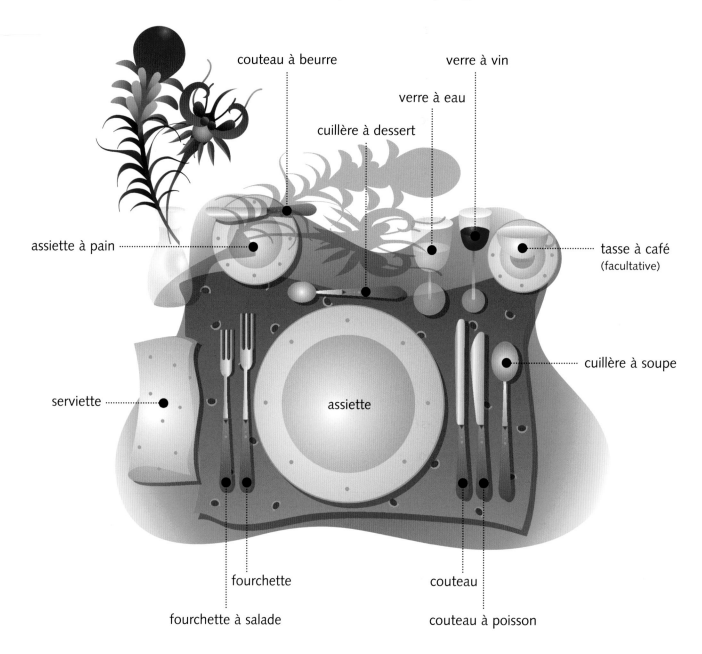

couteau à beurre

verre à vin

verre à eau

cuillère à dessert

assiette à pain

tasse à café
(facultative)

cuillère à soupe

serviette

assiette

fourchette

couteau

fourchette à salade

couteau à poisson

On passe à table !

Une jolie table bien mise nous met déjà en appétit. Il suffit parfois d'ajouter un peu de couleur pour la transformer :

- en toute saison, un bouquet au centre de la table apporte une note de gaieté. Si on veut utiliser l'espace central pour y déposer les plats de service, on place une simple fleur devant chaque convive dans un petit verre étroit, un verre à liqueur, par exemple.

- une grosse bougie posée dans une assiette couverte d'un papier coloré ou de feuilles végétales. On peut aussi entourer la bougie de fleurs, de noix en écale ou de fruits (des citrons jaunes ou verts, des poires rouges).

- des serviettes en papier de couleurs différentes ou des serviettes en tissu blanc pliées et retenues par un ruban.

- un petit carton replié placé devant l'assiette avec simplement le nom du convive ou un message amusant.

- des confettis dorés, des serpentins ou des guirlandes fines parsemés sur la nappe.

La courtoisie à table

C'est quand on commence à cuisiner que l'on comprend l'importance de se mettre à table dès qu'on y est convié. Un bon petit plat n'attend pas !

Quoi qu'on en pense, en visite ou chez soi, il n'est pas impoli de ne pas terminer son assiette, même si ne rien laisser indique que le repas a été apprécié. Il est permis de ne pas aimer un aliment ou d'y être allergique ; cependant, il est préférable de rester discret et de ne pas en faire état à toute la tablée.

Pour indiquer à l'hôte ou à l'hôtesse que l'on a fini de manger, on pose les ustensiles côte à côte au centre de l'assiette.

On ne fume que lorsqu'on en a obtenu la permission et au moment du café seulement.

Cuisiner, c'est aussi partager des trucs

Manger de façon saine et sécuritaire

Pour prévenir l'apparition de bactéries toxiques, n'utiliser que des ustensiles propres. Ne pas prendre les mêmes ustensiles pour couper, mélanger ou transvider des préparations différentes. À titre d'exemple, ne pas couper du poulet non cuit avec le même couteau qui servira à tailler les légumes d'une salade.

L'ail se digère plus facilement si on retire le germe. Prenez garde : une vinaigrette préparée avec de l'ail cru ne se conserve pas plus d'un jour car elle pourrait causer une intoxication par le bacille botulique.

Pour cuire un plat contenant de la tomate, il est préférable d'utiliser une casserole en acier inoxydable, car les autres matériaux, comme le fer et la fonte, risquent de changer de couleur et d'altérer le goût.

Verser l'huile dans une poêle déjà chaude et ajouter immédiatement les ingrédients pour empêcher l'huile de fumer, ce qui l'oxyde et lui fait perdre ses vertus.

Quelques suggestions

Un plat est bien meilleur lorsqu'il est servi chaud. Pour ce faire, placer pendant deux minutes les assiettes dans un four à 100 °C (200 °F) ou sur l'élément de la cuisinière d'où s'échappe l'air chaud d'un four allumé. Ne pas oublier de prévenir les convives.

Afin de conserver la couleur des légumes verts, les cuire dans une casserole d'eau bouillante salée non couverte et les servir dès qu'ils sont prêts. S'ils doivent attendre, les passer sous l'eau froide et les réchauffer juste avant de manger.

Les plupart des fruits mûrissent plus rapidement lorsqu'ils sont placés dans un endroit sombre, comme une armoire, ou dans un sac en papier opaque. À essayer avec les tomates et les avocats tout particulièrement.

Penser à mettre les restants au congélateur en portions individuelles pour une autre occasion ou pour la boîte à lunch. C'est aussi une bonne idée de réserver de l'espace au congélateur pour faire provision de certains légumes coûteux hors saison, comme les poivrons rouges et les jalapeños, qui ne demandent aucune préparation, ou les poireaux et les asperges, qui doivent au préalable être blanchis deux minutes. Y mettre un surplus de fines herbes comme du basilic, de la coriandre, du persil que l'on passe au mélangeur avec un peu d'huile d'olive. Verser la purée obtenue dans un bac à glaçons. Transférer les cubes glacés dans des sacs hermétiques pour pouvoir par la suite les incorporer dans les soupes, les sauces et les plats mijotés. Congeler aussi les écorces d'agrume en attendant d'en avoir suffisamment pour préparer les écorces confites (p. 122).

Au petit-déjeuner

Je suis si gourmande que je me couche le soir en rêvant au petit-déjeuner du lendemain matin... que j'ai toujours aimé partager en famille. Avec mes frères, nous avons concocté bien des plateaux-surprises pour nos parents. Ils auraient sûrement apprécié les plats suivants !

8

petites crêpes

250 ml (1 tasse) de farine

30 ml (2 c. à soupe) de germe de blé

15 ml (1 c. à soupe) de sucre

2 œufs

375 ml (1 1/2 tasse) de lait

Zeste d'une orange

Beurre pour la cuisson

2 bananes en tranches fines

Sauce à l'orange

125 ml (1/2 tasse) de cassonade

250 ml (1 tasse) de jus d'orange

15 ml (1 c. à soupe) de fécule de maïs

Crêpes
aux bananes

1

Dans un petit bol, mélanger ensemble les ingrédients secs. Dans un autre bol, à l'aide d'un mixeur ou d'un fouet, battre les œufs avant d'ajouter le lait. Incorporer les ingrédients secs et mélanger jusqu'à l'obtention d'une pâte sans grumeaux. Incorporer le zeste et laisser reposer 15 min.

2

Faire chauffer une poêle antiadhésive sur feu moyen. Faire fondre un peu de beurre avant de verser assez de pâte pour pouvoir y enfoncer 7 ou 8 tranches de bananes. Lorsque le dessous est doré, retourner et laisser cuire 2 min. Empiler les crêpes en les séparant par des feuilles de papier ciré.

3

Au moment de servir, réchauffer les crêpes dans un four chaud à 160 °C (350 °F) 5 min.

4

Pour la sauce, dans une petite casserole, dissoudre la cassonade dans le jus d'orange et porter à ébullition. Diluer la fécule de maïs dans une cuillerée d'eau et incorporer au sirop. Quelques secondes suffiront pour obtenir une sauce lisse et onctueuse. Servir les crêpes arrosées de sauce.

Pour réussir

1 Incorporer les ingrédients rapidement et ne pas trop mélanger la pâte.
2 Ne pas trop éclaircir, car une pâte plus épaisse que l'on étale à la cuillère donne une crêpe plus légère.
3 Laisser reposer la pâte au moins 15 min pour détendre le gluten.
4 Utiliser une poêle au revêtement antiadhésif, en fonte ou en aluminium.
5 Pour s'assurer que la poêle est assez chaude, laisser tomber quelques gouttes d'eau. Si elles sautillent, la chaleur est bonne, autrement la crêpe durcit.
6 Verser du beurre ou un peu d'huile pour la première crêpe seulement.
7 Étaler une mince couche de pâte uniforme.
8 Retourner la crêpe seulement lorsque les bulles se forment sur le dessus.
9 Servir immédiatement ou empiler sur une assiette placée dans un four chaud.

Œuf de cœur

1

par personne

• Facile • Rapide •

1 tranche de pain de mie

Beurre

1 œuf

Sel et poivre

Le cœur est un des symboles les plus connus à travers le monde et à travers les âges. Qu'il s'agisse de dire « merci maman » à la fête des Mères ou « je t'aime » à son amoureux, il réjouit toujours celui ou celle à qui on l'offre…

1

À l'aide d'un emporte-pièce en forme de cœur ou autre, découper au centre de la tranche une cavité.

2

Tartiner de beurre les deux côtés de la tranche, la placer dans une poêle antiadhésive et faire dorer le dessous, à feu moyen-doux, 2 min.

3

Beurrer et faire dorer la forme découpée de la même façon. Mettre de côté pour décorer l'assiette.

4

Craquer l'œuf en prenant soin de ne pas briser le jaune et le mettre dans un petit bol.

5

Retourner le pain, déposer une noix de beurre dans la cavité, et délicatement y faire glisser l'œuf, sans déborder sur le pain.

6

Couvrir la poêle ou seulement la tranche de papier d'aluminium et cuire doucement 4 à 5 min, jusqu'à ce que le blanc devienne opaque. Assaisonner.

7

À l'aide d'une spatule, faire glisser le pain avec l'œuf dans une assiette que l'on peut agrémenter d'une feuille de laitue garnie de cubes de tomate parsemés de persil haché ou d'origan.

Scones sans œufs

8
scones

• **Facile** • **Rapide** •

500 ml (2 tasses) de farine

15 ml (1 c. à soupe) de sucre

5 ml (1 c. à thé) de poudre à pâte

50 ml (6 c. à soupe) de beurre coupé en dés

125 ml (1/2 tasse) de babeurre* ou de crème 15 %

Sucre pour saupoudrer

- Combiner les ingrédients secs et incorporer le beurre à l'aide d'un couteau à pâtisserie jusqu'à l'obtention d'une pâte grumeleuse.
- Ajouter le babeurre et pétrir avec les mains sur une surface farinée, 6 fois.
- Rapidement, abaisser la pâte pour obtenir une épaisseur d'au moins 1 cm (1/2 po).

- À l'aide d'un emporte-pièce ou d'un verre renversé, découper des ronds.
- Saupoudrer les scones de sucre avant de les placer sur une plaque à biscuits.
- Cuire au four, à 200 °C (400 °F), 15 min jusqu'à ce qu'ils soient dorés.
- Servir chauds, séparés en deux et couverts de confiture ou de fromage à la crème ou des deux.

Allergie

Les personnes allergiques aux œufs n'auront pas à s'en priver.

* Le babeurre, aussi nommé « lait de beurre », contrairement à ce que l'on pourrait croire à cause de son nom, ne contient pas plus de matières grasses que le lait écrémé même si sa consistance rappelle celle de la crème. Il remplace le lait dans les recettes de pâtisserie. Bien secouer le contenant avant d'utiliser.

En entrée ou comme repas léger

J'aime tellement les entrées qu'il m'arrive souvent d'en présenter plusieurs, une à la suite de l'autre, et de sauter le plat principal...
Mais jamais le dessert !

Mayonnaises, sauces et vinaigrettes

Mayonnaise aux tomates séchées

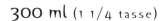

300 ml (1 1/4 tasse)

250 ml (1 tasse) de mayonnaise

8 tomates séchées hachées

15 ml (1 c. à soupe) de pâte de tomates

7 ml (1 1/2 c. à thé) de harissa
(Pour la faire soi-même : 5 ml/1 c. à thé de cumin,
2 ml/1/4 c. à thé de sel et 1 pincée de cayenne.)

1 gousse d'ail écrasée

Sel et poivre

- Mélanger tous les ingrédients. Conserver au frais jusqu'au moment de servir.

Mayonnaise aux fines herbes

250 ml (1 tasse)

250 ml (1 tasse) de mayonnaise

15 ml (1 c. à soupe) de moutarde forte à l'estragon

30 ml (2 c. à soupe) de ciboulette hachée
ou de cerfeuil haché

- Mélanger tous les ingrédients. Conserver au frais jusqu'au moment de servir.

Vinaigrette

Pour assaisonner 2 portions de laitue

15 ml (1 c. soupe) de vinaigre de vin

1 pincée de sel

45 ml (3 c. à soupe) d'huile d'olive

1 petite gousse d'ail écrasée

15 ml (1 c. soupe) de ciboulette hachée

Poivre

- Commencer par dissoudre le sel dans le vinaigre avant d'ajouter en fouettant les autres ingrédients.

Vinaigrette à l'orange

125 ml (1/2 tasse) de jus d'orange

5 ml (1 c. à thé) de vinaigre balsamique

125 ml (1/2 tasse) d'huile d'olive

Sel et poivre

- Dans une petite casserole, porter à ébullition le jus d'orange et faire réduire de moitié, environ 3 min.
- Mélanger tous les ingrédients au fouet.
- Enrober de cette vinaigrette des betteraves en tranches ou un mélange de bulbe de fenouil et d'endive.

Vinaigrette asiatique
Pour assaisonner 2 portions de salade

45 ml (3 c. à soupe) d'huile de sésame

15 ml (1 c. soupe) de vinaigre de riz

5 ml (1 c. à thé) de sauce soja

5 ml (1 c. à thé) de gingembre frais râpé

1 gousse d'ail écrasée

Poivre

- Mélanger tous les ingrédients.
- Idéal pour une salade de poulet et d'épinards sur laquelle on peut rajouter des graines de sésame grillées ou une salade de nouilles de riz garnies de carottes râpées, de concombres en dés et de fèves germées.

Sauce aux œufs
300 ml (1 1/4 tasse)

1 jaune d'œuf

15 ml (1 c. à soupe) de moutarde forte

50 ml (1/4 tasse) de vinaigre de vin

175 ml (3/4 tasse) d'huile d'olive

2 ml (1/4 c. à thé) de sel

Poivre ou soupçon de cayenne

- Mettre tous les ingrédients au mélangeur pour obtenir une sauce lisse et onctueuse.
- Cette sauce accompagne n'importe quelle salade de verdure et plus particulièrement les endives.

Sauce chili
75 ml (1/3 tasse)

8 oignons verts hachés finement

45 ml (3 c. à soupe) de sauce chili

15 ml (1 c. à soupe) de poivre vert

15 ml (1 c. à soupe) de câpres

5 ml (1 c. à thé) de Tabasco (ou plus)

15 ml (1 c. à soupe) de brandy

- Mélanger tous les ingrédients. Conserver au frais jusqu'au moment de servir.

Sauce à la grecque
125 ml (1/2 tasse)

80 ml (1/3 tasse) de mayonnaise

30 ml (2 c. à soupe) de yogourt

1 petite gousse d'ail écrasée

30 ml (2 c. à soupe) de persil haché ou 5 ml (1 c. à thé) d'origan

Sel et poivre

- Mélanger tous les ingrédients et remplacer la mayonnaise par cette sauce dans les sandwichs à la viande.

Conservation

Ces assaisonnements se conservent au moins deux jours à condition de ne pas contenir d'ail.

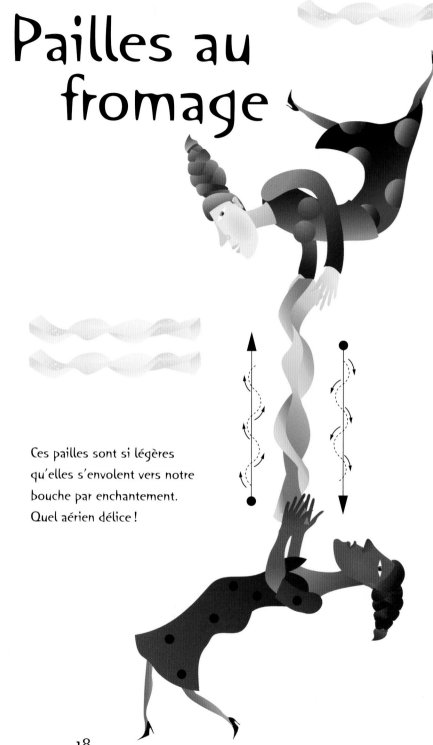

Pailles au fromage

4

douzaines

• **Facile** •

1 bloc de pâte feuilletée* de 375 g (14 oz)

125 ml (1/2 tasse) de parmesan

* La pâte feuilletée se trouve au comptoir des produits congelés. On la laisse dégeler au réfrigérateur et il est plus aisé de l'abaisser si on la sort sur le comptoir 15 min avant.

Ces pailles sont si légères qu'elles s'envolent vers notre bouche par enchantement. Quel aérien délice !

1

Abaisser la pâte en un grand rectangle. Saupoudrer de la moitié du parmesan.

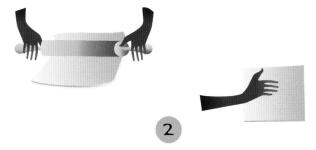

2

Plier une fois et replier la pâte. Placer au réfrigérateur 30 min.

3

Sur le comptoir, saupoudrer un peu de farine et rouler en un grand rectangle de 3 cm (1/8 po) d'épaisseur, saupoudrer du restant de parmesan. D'abord, diviser en deux dans le sens de la longueur, puis tailler en lanières.

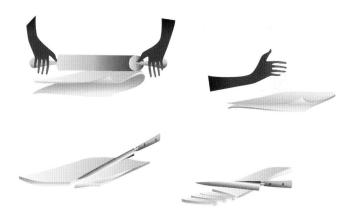

4

Préparer deux plaques à biscuits huilées ou couvertes de papier parcheminé. Former les pailles en tenant d'une main l'extrémité de la lanière et de l'autre main, tourner la pâte 4 fois pour obtenir une torsade.

5

Pour qu'elle garde sa forme, la déposer immédiatement sur la plaque en fixant les extrémités d'une pression des doigts.

6

Remettre au réfrigérateur 15 min ou plus. Cuire au four à 200 °C (400 °F), 7 min, jusqu'à ce que les pailles au fromage soient joliment dorées.

Autrement

- Ajouter du piquant : avant d'enfourner, saupoudrer d'un soupçon de cayenne.
- Version fougasse : lorsqu'on a obtenu un rectangle de 3 cm (1/8 po), éparpiller sur la moitié de la pâte 125 ml (1/2 tasse) d'olives noires hachées finement et 5 ml (1 c. à soupe) de romarin. Replier et passer le rouleau 2 ou 3 fois pour incorporer les olives dans la pâte. Découper les pailles et les cuire à 200 °C (400 °F) 10 min.

Tzatziki

4 à 6 portions

• Facile • Rapide •

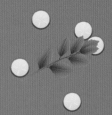

1 grand concombre anglais

500 ml (2 tasses) de yogourt*

1 gousse d'ail écrasée

15 ml (1 c. à soupe) d'huile d'olive

5 ml (1 c. à thé) de vinaigre de vin

Sel et poivre

15 feuilles de menthe hachées finement

* Pour cette recette, il est préférable d'utiliser un yogourt plus onctueux, par exemple celui de type méditerranée à 10 % mg.

Afin que l'ail soit plus digestible, je retire le germe avant d'écraser la gousse.

1

Peler le concombre, le couper en deux et retirer les pépins. Le hacher finement ou le râper.

2

Saler la pulpe du concombre et la déposer dans une passoire. Laisser dégorger 15 min. Presser la pulpe contre les parois de la passoire pour extraire l'excédent d'eau.

3

Mélanger le concombre avec le yogourt, l'ail, l'huile et le vinaigre. Saler, poivrer et parsemer le dessus de menthe.

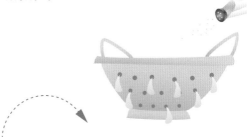

Servir

- Avec des languettes de pita légèrement huilées ou beurrées, enveloppées dans du papier d'aluminium et chauffées au four à 180 °C (350 °F) 5 min.
- Avec des légumes séchés (p. 26).
- Comme sauce dans un sandwich au poulet grillé ou au rôti de bœuf.
- Comme sauce d'accompagnement des kaftas (p. 78).

Salade de courgettes
6
portions

• Facile •

Je dois avouer que je déteste les courgettes : je les trouve insipides et sans intérêt. J'aime cependant leur texture et cette recette, avec du yogourt parfumé à l'ail, rehausse les légumes et me permet enfin de les apprécier.

4 courgettes moyennes en rondelles

500 ml (2 tasses) de yogourt

125 ml (1/2 tasse) d'aneth ou de tiges de bulbe de fenouil

1 gousse d'ail écrasée

- Faire cuire les courgettes dans l'eau bouillante salée. Elles sont prêtes lorsqu'elles sont très molles.
- Les égoutter dans une passoire en les pressant fortement avec les mains.
- Mélanger avec le yogourt, l'aneth et l'ail.
- Réfrigérer 1 h.

500 ml
(2 tasses)

• Facile • Rapide •

1 boîte (540 ml/19 oz) de
pois chiches égouttés

3 gousses d'ail hachées

30 ml (2 c. à soupe) de tahini

60 ml (4 c. à soupe) de yogourt

30 ml (2 c. à soupe) de jus de citron

Sel et poivre

60 ml (4 c. à soupe) d'eau

Persil haché pour la décoration

Hoummos

et croustilles de pita

Réserver une vingtaine de pois chiches, puis mettre le reste dans un mélangeur ou un robot culinaire avec les autres ingrédients. Si la consistance n'est pas assez onctueuse, ajouter une cuillerée d'eau à la fois.

Parsemer de persil et décorer des 20 pois chiches.

Servir

Comme trempette, avec des crudités ou des croustilles.

Conservation

Le hoummos se conserve au réfrigérateur jusqu'à 10 jours.

Allergie

On peut remplacer le tahini en ajoutant plus de yogourt pour les personnes allergiques aux noix car le tahini est fait à base de sésame.

Croustilles de pita

2 pitas

Huile d'olive

- Découper avec des ciseaux ou un couteau des triangles dans les pitas et les disposer sans que les morceaux se chevauchent sur une plaque à biscuits.
- À l'aide d'un des morceaux de pita trempé dans un peu d'huile, badigeonner les triangles.
- Placer au four, à 200 °C (400 °F), 3 min. Ils seront croustillants.

Pain au parmesan

1 baguette

100 g (1/4 de lb) de beurre ramolli

45 ml (3 c. à soupe) d'huile d'olive

125 ml (1/2 tasse) de parmesan

1 gousse d'ail écrasée

1 échalote ou 1/2 petit oignon rouge haché

5 ml (1 c. à thé) de sauce Worcestershire

125 ml (1/2 tasse) de persil haché

125 ml (1/2 tasse) de ciboulette hachée

2 ml (1/2 c. à thé) d'origan

2 ml (1/2 c. à thé) de thym

2 ml (1/2 c. à thé) de sel

1 ml (1/4 c. à thé) de poivre

Cuisez cette baguette quelques minutes avant de passer à table et je parie que tous vos convives vous complimenteront sur l'odeur si appétissante qui embaume la cuisine !

1

À l'aide d'un couteau à dents, couper en accordéon d'épaisses tranches de pain sans les détacher complètement à la base.

2

Avec une fourchette, écraser le beurre et incorporer tous les ingrédients.

3

Tartiner chaque tranche du beurre assaisonné.

4

Envelopper la baguette de papier d'aluminium et mettre au four à 200 °C (400 °F) 12 min.

5

Tailler les tranches et servir chaud.

Servir

En entrée, quelques tranches de tomates et de mozzarella disposées dans chaque assiette ajouteront couleur et saveurs.

Autrement

- Couper entièrement les tranches, les tartiner de la garniture et les disposer sur une plaque à biscuits.
- Cuire au four à 200 °C (400 °F), 5 min, ou jusqu'à ce que ce soit doré.

Légumes séchés et confits

À la fin de l'été, je reviens du marché avec des paniers pleins et je prépare mes provisions d'automne.

Courgettes et aubergines grillées

2 courgettes

1 aubergine

Huile d'olive

Origan

Sel et poivre

- Laver les courgettes, couper les extrémités et tailler de fines lanières. Peler l'aubergine et couper des tranches très fines.

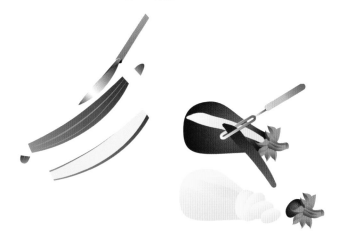

- Couvrir le comptoir de papier absorbant et y disposer la courgette et l'aubergine. Saler les légumes et laisser dégorger 20 min. Éponger.

- Huiler une plaque à biscuits ou la couvrir de papier parcheminé* et disposer les lanières de courgette ainsi que les tranches d'aubergine.

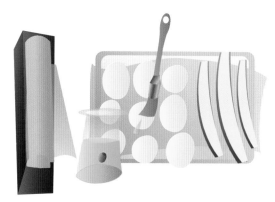

- Badigeonner d'huile à l'aide d'un pinceau, d'une petite cuillère ou d'un morceau de pain trempé dans l'huile. Assaisonner de sel, de poivre et d'origan. Cuire au four à 190 °C (375 °F), 10 min, retourner et poursuivre 10 min.

Conservation

Mettre dans un bocal en verre. Arroser d'huile d'olive et aromatiser de basilic et d'origan. Se garde au réfrigérateur 10 jours.

* Aussi appelé papier sulfurisé, ce papier n'a pas besoin d'être huilé et absolument rien n'attache.

Tomates confites

20 petites tomates italiennes (en forme de poire)

30 ml (2 c. à soupe) d'huile d'olive

30 ml (2 c. à soupe) de vinaigre balsamique

5 ml (1 c. à thé) d'origan séché

Sel et poivre

- Couper en deux les tomates dans le sens de la longueur et les évider à l'aide d'une petite cuillère. (La cuillère dentelée utilisée pour les pamplemousses se prête bien à cette tâche.)

- Disposer les barquettes sur une plaque à biscuits couverte de papier parcheminé.

- À l'aide d'une cuillère, verser 2 ou 3 gouttes d'huile dans chaque demi-tomate. Faire de même pour le vinaigre balsamique. Saupoudrer d'origan, saler et poivrer.

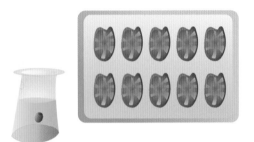

- Placer au four à 120 °C (250 °F) et laisser sécher les tomates 2 h avant de les retourner et de poursuivre la cuisson encore une heure. Laisser refroidir.

▼ Conservation

Les tomates confites se conservent dans un bocal au congélateur pendant des mois ou au réfrigérateur pendant 1 mois en y ajoutant quelques cuillerées d'huile d'olive.

Ail confit

L'ail confit est délicieux et odorant… Mâchez du persil pour masquer ensuite son souvenir… à moins que tous vos invités n'en aient mangé aussi !

1 tête d'ail

15 ml (1 c. à soupe) de beurre

15 ml (1 c. à soupe) d'eau

Sel et poivre

- Ôter un peu de la pellicule sur le dessus de la tête d'ail et écarter légèrement les gousses sans les séparer.

- Placer l'ail dans du papier d'aluminium, mettre le beurre sur le dessus, verser l'eau, assaisonner et refermer le papier d'aluminium. Cuire au four à 190 °C (375 °F), 45 min.

- Pour déguster, dégager les gousses une à une et presser sur une extrémité pour en extraire la chair. En tartiner du pain grillé, saler et poivrer.

• Servir les légumes séchés et confits

- En sandwich chaud ou en pizza : utiliser du pain pita ou azime (Moyen-Orient) ou chapati (Inde) ou un muffin anglais coupé en deux ou une tranche de pain de campagne. Huiler légèrement ou tartiner de purée d'ail confit, couvrir de courgettes, d'aubergines séchées ou de tomates confites. Garnir en choisissant parmi les ingrédients suivants : olives noires, cœurs d'artichauts, poivrons verts ou rouges, champignons, oignons rouges, échalotes, oignons verts et fines herbes (persil, coriandre, basilic, estragon et origan). Couvrir de fromage (chèvre, emmenthal, mozzarella ou cheddar) et cuire au four à 200 °C (400 °F) environ 7 min ou jusqu'à ce que le fromage fonde.

- Les légumes séchés peuvent s'ajouter à n'importe quelle céréale (millet, boulghour, quinoa, couscous…) ou légumineuse (haricots secs, lentilles, pois chiches…) pour constituer un repas nourrissant et complet.

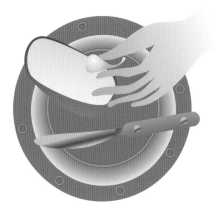

500 ml
(2 tasses)

• Facile • Rapide •

1 mangue en dés

1 tomate en dés

1/2 oignon rouge en rondelles fines

45 ml (3 c. à soupe) de coriandre hachée

30 ml (2 c. à soupe) de jus de lime
ou de citron

15 ml (1 c. à soupe) d'huile d'olive

Salsa
à la
mangue

Les mangues, je les pèle avant
de passer un couteau de chaque
côté du noyau. Ensuite, c'est
plus facile de les couper en
petits cubes.

Mélanger tous les ingrédients et conserver au frais jusqu'au moment de servir.

 Servir

- Avec des viandes froides ou grillées.

- Comme condiment dans un sandwich. À essayer avec le pita au poulet cajun (p. 70).

- Pour accompagner une salade à base de céréale : riz, boulghour, couscous, quinoa…

Autrement

Ajouter à la salsa 4 crevettes par portion et présenter dans des assiettes individuelles sur un lit de verdure.

Salsa gratinée

Natchos (environ 50)

250 ml (1 tasse) de salsa du commerce
ou maison

250 ml (1 tasse) de cheddar râpé

Cette salsa n'a qu'un défaut :
on ne peut s'arrêter d'en manger
quand on y a goûté !

1

Disposer les natchos sur une plaque à pizza en les superposant quelque peu.

2

Éparpiller des cuillerées de salsa sur les natchos. Garnir de fromage.

3

Mettre au four à 200 °C (400 °F), 10 min, jusqu'à ce que le fromage dore légèrement.

Pour préparer la salsa soi-même

Salsa classique
750 ml (3 tasses)

1 boîte (796 ml/28 oz) de tomates en cubes

15 ml (1 c. à soupe) de pâte de tomates

5 ml (1 c. à thé) de sucre

1 oignon haché finement

2 gousses d'ail écrasées

30 ml (2 c. à soupe) d'huile d'olive

60 ml (4 c. à soupe) de vinaigre de cidre

5 ml (1 c. à thé) d'origan

5 ml (1 c. à thé) de sel

1 ml (1/4 c. à thé) de cayenne

1 ou 2 jalapeños épépinés et hachés finement

60 ml (4 c. à soupe) de persil haché

60 ml (4 c. à soupe) de coriandre hachée

- Dans une casserole, mélanger tous les ingrédients sauf les jalapeños, le persil et la coriandre. Cuire à feu moyen 15 min. Ajouter les jalapeños et poursuivre la cuisson 10 min. Lorsque la salsa est prête, incorporer le hachis de fines herbes.

Conservation

Une semaine au réfrigérateur et deux mois au congélateur.

750 ml
(3 tasses)

· Facile · Rapide ·

1 boîte (398 ml/14 oz)
de cœurs d'artichauts

250 ml (1 tasse) de mayonnaise

500 ml (2 tasses) de mozzarella râpée

5 ml (1 c. à thé) d'ail écrasé

Trempette chaude à l'artichaut

1

Couper en petits morceaux les cœurs d'artichauts.

2

Mélanger tous les ingrédients ensemble.

3

Répartir dans 2 caquelons allant au four (pour soupe à l'oignon, par exemple) et mettre au four à 180 °C (350 °F), 20 min, jusqu'à ce que le dessus soit légèrement gratiné.

● Servir

• Avec des craquelins ou des tranches de baguette grillées.

• Avec du pain tranché découpé à l'aide d'emporte-pièces et grillé. Pour en préparer une grande quantité, disposer les tranches ou les formes obtenues sur une plaque à biscuits et les griller au four à 200 °C (400 °F) 5 min.

Salade de pamplemousses et de crevettes

4

portions

• **Rapide** •

2 pamplemousses

36 crevettes de Matane ou
16 grosses crevettes

1 avocat

15 ml (1 c. à soupe) de jus de citron

8 feuilles de laitue

60 ml (4 c. à soupe) de mayonnaise
ou de vinaigrette (p.16)

Sel et poivre

1

Couper les pamplemousses en deux. Avec une cuillère très petite ou très pointue, retirer la pulpe et la mettre dans un grand bol. Ou procéder comme on l'explique à la rubrique Truc.

2

Tailler l'avocat en deux, ôter le noyau et détailler chaque moitié en morceaux. À l'aide d'une cuillère, retirer les morceaux de l'écorce. Les déposer dans un bol et les arroser de jus de citron pour éviter qu'ils noircissent.

3

Couper très finement la laitue ou la déchirer en petits morceaux.

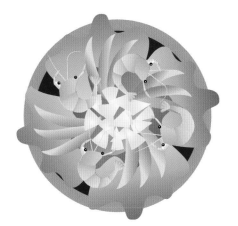

4

Déposer la laitue dans les assiettes, partager les pamplemousses, disposer les morceaux d'avocat et les crevettes et une cuillerée de mayonnaise par personne. Saler et poivrer.

Truc

Pour obtenir des quartiers intacts, peler à vif les agrumes de la façon suivante :
Avec un couteau, retirer l'écorce et la membrane blanchâtre en coupant proche de la chair. Ôter d'abord les extrémités, placer le fruit sur une planche puis couper des lanières. Lorsque le fruit est nu, passer le couteau de chaque côté des parois pour dégager les quartiers.

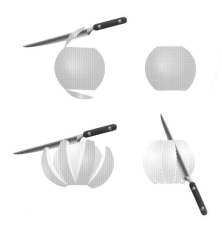

Macédoine de melon et jambon

4 portions

• Facile • Rapide •

1 cantaloup

8 tranches fines de jambon sec
(Bayonne ou prosciutto)

Poivre noir

30 ml (2 c. à soupe) de porto

J'adore les petits cavaillons mais un cantaloup à point, parfumé, fleurant bon l'été enchantera vos papilles !

1

Couper le cantaloup en deux et enlever la partie filamenteuse et les pépins.

2

Retirer la pulpe avec une cuillère parisienne pour former de jolies billes de fruit ou couper en dés.

3

Avec des ciseaux ou un bon couteau, couper le jambon sec en dés.

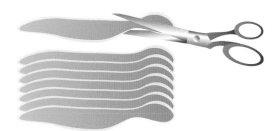

4

Mélanger le cantaloup et le jambon sec, poivrer et arroser de porto.

Garder au frais jusqu'au moment de servir.

4

portions

1 boîte (398 ml/14 oz) de cœurs de palmier

15 ml (1 c. à soupe) de jus de citron ou lime

2 mangues

2 avocats

Mayonnaise au curry

60 ml (4 c. à soupe) de mayonnaise

5 ml (1 c. à thé) de curry

5 ml (1 c. à thé) de jus de lime

4 tranches de citron

Salade de plage

Je réalise cette recette durant l'hiver, quand j'ai des désirs de vacances et que je n'ai pas le loisir d'aller à la mer, à la plage…

1

Dans chaque assiette, assembler les ingrédients qui suivent pour former un palmier dans un paysage de dunes.

2

Couper en rondelles un cœur de palmier par assiette*. Disposer celles-ci en les superposant légèrement.

3

Peler les mangues, les couper en deux le long du noyau et tailler des lamelles.

* Apprêter les cœurs de palmier restants dans une sauce aux œufs (p. 17) avec quelques olives noires tranchées. À servir le lendemain ou à apporter dans la boîte à lunch.

4

Couper les avocats en deux et ôter le noyau. Couper en deux chaque moitié, peler et détailler chaque quartier pour obtenir 4 lamelles fines.

5

Ajouter la mayonnaise, décorer de la tranche de citron. Servir immédiatement.

Barquettes à la chiffonnade de poireaux

4 portions

4 tranches de pain d'une épaisseur de 4 cm (1 1/2 po)

15 ml (1 c. à soupe) d'huile

2 poireaux moyens

30 ml (2 c. à soupe) de beurre

125 ml (1/2 tasse) de crème 35 %

15 ml (1 c. à soupe) de persil haché

Sel et poivre

Persil haché pour la décoration

1

À l'aide d'un couteau, ôter la croûte du pain pour obtenir des côtés nets. Creuser au centre en laissant un fond et une bordure de chaque côté. Badigeonner d'huile l'extérieur des barquettes.

2

Dans une poêle, faire dorer à feu moyen, 2 min, chaque côté de manière que les barquettes soient uniformément dorées. Mettre de côté.

3

Pour laver les poireaux, couper la partie filamenteuse de la racine ainsi que la partie supérieure des feuilles. Fendre en deux dans le sens de la longueur et ouvrir en éventail. Passer sous un filet d'eau afin d'éliminer le sable emprisonné entre les feuilles. Couper en fines lanières les parties blanche et vert tendre.

4

Dans une poêle, chauffer le beurre et y faire revenir les poireaux à feu doux 10 min sans les laisser brunir.

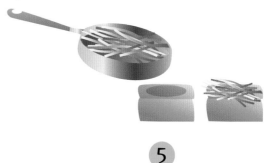

5

Incorporer la crème et le persil haché. Saler et poivrer. Farcir les barquettes.

6

Réchauffer dans un four à 180°C (350°F) 4 ou 5 min.

7

Parsemer de persil haché le fond de chacune des assiettes avant d'y déposer les barquettes.

Autrement

On peut aussi farcir les barquettes de champignons en crème en faisant revenir des lamelles de champignons dans du beurre. Mouiller avec un peu de crème et assaisonner de sel et de poivre.

4 à 6
portions

• **Rapide** • **Facile** •

8 tomates mûres ou 1 boîte (796 ml/28 oz) de tomates

1 concombre pelé

1/2 poivron rouge épépiné

1 oignon

2 gousses d'ail

30 ml (2 c. à soupe) d'huile olive

1 citron entier épluché et épépiné

30 ml (2 c. à soupe) de persil ou de cerfeuil

2 ou 3 gouttes de Tabasco

Sel et poivre

1 poivron vert

60 ml (4 c. à soupe) de poivron jaune épépiné en dés

Gaspacho

Il faut faire cette recette l'été, quand les tomates ont beaucoup de goût. On peut préparer cette soupe froide à l'avance ; elle se conserve très bien au réfrigérateur.

1

Broyer grossièrement tous les ingrédients, sauf le poivron vert et le poivron jaune, au mélangeur ou au robot culinaire. La texture doit être grumeleuse. Assaisonner de sel et de poivre.

2

Mettre de côté 125 ml (1/2 tasse) du mélange et partager le reste dans les bols.

3

Remettre la soupe conservée dans le mélangeur avec le poivron vert et réduire en purée.

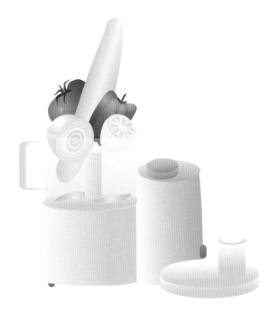

4

Mettre la purée au centre de la soupe et décorer avec les dés de poivron jaune.

On peut aussi ajouter davantage de Tabasco pour ceux qui apprécient un goût plus piquant.

Servir

- Avec des tranches de baguette grillées ou des formes taillées à l'emporte-pièce dans des tranches de pain.

- Le pain peut être tartiné de purée d'ail confit (p. 29).

 # Soupes express

Six recettes de soupes à base de
bouillon de poulet ou de bœuf
en conserve ou préparé à partir
de cubes déshydratés.

Balayez la grisaille automnale
ou un interminable hiver avec
ces soupes qui réchauffent le
corps et l'âme !

Soupe rapide à l'italienne

4 portions

• Facile • Rapide •

1 l (4 tasses) de bouillon de poulet

1 œuf battu

1 pincée de muscade

125 ml (1/2 tasse) de fromage gruyère,
emmenthal ou cheddar râpé

- Porter à ébullition le bouillon, verser l'œuf et remuer avec une fourchette. Dès que l'œuf forme des filaments, ajouter le fromage et la muscade. Servir immédiatement.

Soupe rapide à la chinoise

4 portions

• Facile • Rapide •

1 l (4 tasses) de bouillon de poulet

10 branches de cresson haché grossièrement ou
125 ml (1/2 tasse) de pois congelés

4 champignons séchés (champignons chinois parfumés
ou shiitake) réhydratés et tranchés

1 œuf battu

2 oignons verts hachés

Sauce soja

Poivre

- Porter à ébullition le bouillon, ajouter le cresson et les champignons, et laisser bouillir 1 min.
- Verser l'œuf et remuer avec une fourchette. Dès que l'œuf forme des filaments, ajouter l'oignon vert.
- Servir immédiatement en laissant le soin à chaque convive d'aromatiser d'un filet de sauce soja et de poivre.

Soupe aux boulettes
6 portions
• F a c i l e •

225 g (1/2 lb) de veau haché

1/2 oignon haché finement

45 ml (3 c. à soupe) de chapelure

1 œuf battu

30 ml (2 c. à soupe) de crème 15 % ou de lait

15 ml (1 c. à soupe) de persil haché

1 l (4 tasses) de bouillon de poulet ou de bœuf

Persil haché pour la décoration

- Mélanger ensemble avec les doigts les 6 premiers ingrédients. Former plusieurs petites boulettes ou 6 grosses boulettes.
- Dans une casserole moyenne, faire bouillir suffisamment d'eau salée pour que les boulettes puissent flotter. Jeter les boulettes une à une et laisser cuire, à petits bouillons, 15 min pour les petites boulettes et 20 min pour les grosses.
- Au moment de servir, faire bouillir le bouillon de poulet et y ajouter les boulettes, laisser mijoter 5 min.
- Décorer chaque assiette de persil haché et servir.

Soupe au poulet et aux nouilles
4 portions
• F a c i l e • R a p i d e •

1 l (4 tasses) de bouillon de poulet

2 carottes râpées

30 ml (2 c. à soupe) de persil haché

500 ml (2 tasses) de pâtes cuites
(macaronis, coquillettes, boucles ou autre forme)

- Porter à ébullition le bouillon, ajouter les carottes et laisser bouillir 3 min.
- Ajouter les autres ingrédients, réchauffer et servir.

Le plat de résistance et ses accompagnements

Avec ou sans viande, traditionnels ou non, cuisinés ou vite faits, les plats qui suivent vous permettront de réunir famille ou amis autour d'une table... ou de faire des envieux quand vous ouvrirez votre boîte à lunch au lieu d'aller à la cantine de l'école !

4

portions

• Facile •

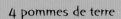

4 pommes de terre

1 tête d'ail confit* (p. 29)

Sel et poivre

60 ml (4 c. à soupe) d'huile d'olive

* Il y a une façon rapide de préparer une purée d'ail : mettre la tête d'ail dans un petit bol ou une tasse, ajouter une cuillerée d'eau, une noix de beurre, saler, poivrer et couvrir.
Placer au micro-ondes 90 s ou mettre les ingrédients dans une petite casserole remplie d'eau bouillante et laisser frémir 15 min.

Pommes de terre en robe des champs

Comme vous tous sûrement, j'adore les frites bien dorées mais ces pommes de terre en papillotes sont si moelleuses…

1

Laver, brosser les pommes de terre et enlever les yeux, les germes et les taches vertes.

2

Tailler 5 tranches épaisses dans chacune des pommes de terre.

3

Reformer les pommes de terre, préparer 4 feuilles d'aluminium et les y placer.

4

Prélever la purée des gousses d'ail, saler, poivrer et incorporer la moitié de l'huile.

5

Tartiner chacune des tranches.

6

Reformer les pommes de terre, verser le reste d'huile et les envelopper avec le papier d'aluminium.

7

Cuire au four à 200 °C (400 °F) pendant 1 h.

Paillasson
de pommes de terre

4
portions

Ce paillasson, cousin du roesti suisse est délicieux...
surtout si on le sert avec une bonne cuillerée de
crème sure ou du yogourt très épais.

4 pommes de terre moyennes

1 œuf battu

15 ml (1 c. à soupe) de farine

2 ml (1/2 c. à thé) de sel

Poivre

30 ml (2 c. à soupe) d'huile d'olive

15 ml de beurre

- Peler les pommes de terre et les râper. Les mettre dans un bol d'eau à mesure afin qu'elles ne brunissent pas.
- Verser les pommes de terre râpées dans un égouttoir au-dessus d'un bol en pressant avec les mains pour en extraire le maximum d'eau. Vider le bol de son eau en conservant l'amidon qui s'est déposé au fond.
- Ajouter les pommes de terre, l'œuf, la farine, le sel et le poivre et bien mélanger.

- Dans une poêle antiadhésive, à feu moyen, chauffer l'huile sans la laisser fumer. Verser la préparation de pommes de terre et, à l'aide d'une spatule, presser pour former une galette compacte.
- Garnir le dessus et les côtés de petits morceaux de beurre. Couvrir la poêle d'un couvercle ou de papier d'aluminium.
- Après 5 min, en soulevant le couvercle sans le redresser, essuyer la condensation qui s'est formée sous le couvercle. Réduire le feu à moyen-doux et poursuivre la cuisson 10 min en prenant soin d'essuyer le couvercle 2 ou 3 fois.

- Pour retourner la galette, retirer le couvercle et poser une grande assiette sur la poêle. La main sur l'assiette, faire pivoter la poêle. Glisser la galette dans la poêle et poursuivre la cuisson, pendant 15 min, sans oublier d'essuyer la condensation aux 5 min.

Un paillasson réussi doit être croustillant à l'extérieur et moelleux à l'intérieur.

Bâtonnets
de pommes de terre

4
portions

• **Facile** •

4 grosses pommes de terre de forme allongée

30 ml (2 c. à soupe) de beurre

5 ml (1 c. à thé) d'assaisonnements au choix :

Sel d'oignon

Gros sel

Épices cajuns

Romarin

Sel et poivre

Mélange de fines herbes

Parmesan

- Éplucher les pommes de terre et les tailler en bâtonnets assez gros (comme pour des frites) et les mettre dans un bol d'eau glacée 20 min, ce qui les rend plus croustillantes. Bien les éponger.
- Faire fondre le beurre dans une casserole. Retirer du feu, ajouter les bâtonnets de pomme de terre et bien remuer pour les enrober. On peut aussi ajouter de l'ail au beurre fondu.

- Déposer les bâtonnets de pommes de terre sur une plaque à biscuits et les assaisonner avec les épices choisies et le parmesan. Cuire au four, 30 min, à 200 °C (400 °F). Les retourner 2 fois durant la cuisson.

Servir

- En érigeant une « pyramide » avec les bâtonnets dans chaque assiette.
- Je m'amuse parfois à déposer des brins de persil au centre de la pyramide de bâtonnets.

250 g (8 oz) de tofu

60 ml (4 c. à soupe) d'huile de tournesol

4 oignons verts en morceaux

15 ml (1 c. à soupe) d'ail émincé

30 ml (2 c. à soupe) de vinaigre de riz

30 ml (2 c. à soupe) de sauce hoisin

30 ml (2 c. à soupe) de sauce soja

5 ml (1 c. à thé) de sucre

250 ml (1 tasse) de bouillon de poulet

15 ml (1 c. à soupe) d'huile de sésame

Vermicelles de riz

1 paquet (454 g/1 lb) de vermicelles de riz

75 ml (5 c. à soupe) de vinaigrette asiatique
(p.17)

Tofu sauté
et vermicelles de riz

Pauvre tofu ! Injustement méconnu, il se prête pourtant, comme les pâtes alimentaires, à d'infinies compositions. Découvrez-le vite !

1

Couper le tofu en bâtonnets de 2,5 cm (1 po) et éponger les morceaux avec un papier absorbant.

2

Chauffer l'huile dans une poêle antiadhésive et faire sauter le tofu, à feu moyen, 2 min, jusqu'à ce que les 2 côtés soient dorés. Retirer les bâtonnets de tofu et les déposer sur du papier absorbant.

3

Ne conserver qu'une cuillerée d'huile dans la poêle et faire sauter les oignons verts et l'ail 30 s. Ajouter le tofu et le reste des ingrédients sauf l'huile de sésame. Cuire 10 min à feu élevé jusqu'à ce que le tofu absorbe presque toute la sauce.

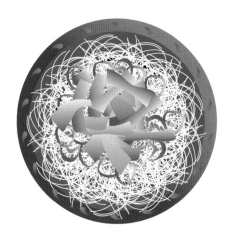

4

Incorporer l'huile de sésame.

5

Pour attendrir les vermicelles de riz, les ébouillanter et laisser reposer au moins 10 min. Égoutter et arroser de vinaigrette.

Servir

Dans l'assiette de service, former une couronne avec les vermicelles de riz et disposer le tofu au centre.

Autrement

Remplacer les vermicelles de riz par des nouilles japonaises soba cuites arrosées de jus de lime.

Couscous
aux pois chiches, aux raisins et aux oignons caramélisés

4 portions

250 ml (1 tasse) de bouillon de poulet

2 boîtes (540 ml/19 oz) de pois chiches

250 ml (1 tasse) de raisins secs

5 ml (1 c. à thé) de cumin

1 ml (1/4 c. à thé) de cayenne

Oignons caramélisés

30 ml (2 c. à soupe) d'huile d'olive

3 oignons moyens en tranches

5 ml (1 c. à thé) de sucre

Couscous

500 ml (2 tasses) de couscous

500 ml (2 tasses) d'eau bouillante

30 ml (2 c. à soupe) d'huile d'olive

2 ml (1/2 c. à thé) de coriandre ou de persil haché

56

1

Préparer d'abord les oignons caramélisés. Chauffer l'huile dans une poêle et ajouter les oignons. Cuire à feu moyen-doux en remuant souvent pour empêcher les oignons de colorer. Après 10 min, saupoudrer le sucre et laisser caraméliser les oignons doucement 10 min, sans oublier de remuer de temps en temps. Mettre de côté.

2

Mélanger le couscous, l'eau bouillante et l'huile dans une casserole ou dans un bol allant au micro-ondes. Laisser gonfler 5 min.

3

Pendant ce temps, verser le bouillon dans une casserole et porter à ébullition. Ajouter les pois chiches, les raisins et assaisonner avec le cumin et le cayenne. Laisser mijoter à feu moyen 5 min.

4

Cuire le couscous sur feu moyen, pendant 3 min, en remuant avec une fourchette pour détacher les grains ou 1 min au micro-ondes.

Servir

- Déposer le couscous dans une assiette de service, creuser au centre un puits et y déposer les pois chiches et les raisins. Répartir les oignons caramélisés en couronne autour de la garniture du centre. Décorer du hachis de coriandre.

- Pour ajouter de la couleur à votre plat de couscous, préparer des petites carottes fraîches entières ou coupées en tronçons, en bâtonnets ou râpées à l'économe. Cuire 500 ml (2 tasses) de carottes quelques minutes, à feu doux, dans une casserole avec 125 ml (1/2 tasse) de bouillon de poulet et une noisette de beurre. Surveiller la cuisson pour que le bouillon ne s'évapore pas entièrement sans quoi les carottes caraméliseraient.

Carrés de spaghetti

15 ml (2 c. à soupe) d'huile d'olive
ou de beurre

1 oignon haché

2 branches de céleri en dés

1 boîte (796 ml /28 oz) de tomates
en dés*

12 champignons tranchés

Sel et poivre

500 g (1 lb) de spaghetti

500 ml (2 tasses) et plus de gruyère
ou de cheddar râpé

*Pour une sauce encore plus savoureuse,
utiliser les tomates en dés
aux fines herbes et épices.

Quand je reviens de voyage, je me prépare
toujours ces carrés de spaghetti qui me
rappellent mon enfance, l'odeur des tomates
et de l'oignon rissolé qui embaumait la maison
quand maman faisait cette recette toute simple.

1

Dans une casserole, chauffer l'huile et faire revenir l'oignon et le céleri à feu moyen-doux 5 min jusqu'à ce que les légumes soient tendres. Ajouter les tomates, les champignons. Saler et poivrer. Laisser mijoter à découvert 20 min.

2

Pendant ce temps, faire cuire les pâtes dans une grande quantité d'eau bouillante salée. Les égoutter quand elles sont encore croquantes ; les pâtes ne doivent pas être parfaitement cuites car elles vont poursuivre leur cuisson au four.

3

Mélanger la sauce tomate avec les pâtes dans un plat carré allant au four. Parsemer de fromage râpé.

4

Cuire au four à 180 °C (350 °F) 20 min.

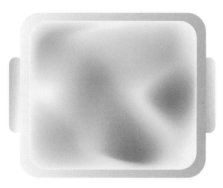

Sortir du four et laisser reposer 5 min avant de découper en carrés pour servir.

Symphonie de pâtes

Choisir quatre sortes de pâtes parmi la variété de pâtes longues (spaghetti, fettucine, linguine) et de pâtes coupées (penne, rotini, macaroni, fusili, farfale) ou, pourquoi pas, des pâtes colorées aromatisées aux épinards, à la tomate, au basilic.

Les faire cuire dans une casserole d'eau bouillante salée. S'assurer que l'eau reste en ébullition jusqu'à la fin de la cuisson. Les pâtes sont prêtes lorsqu'elles sont légèrement croquantes sous la dent. Inutile de les rincer si on les mélange à la sauce immédiatement, sinon, les passer sous l'eau et verser quelques gouttes d'huile afin qu'elles ne s'agglutinent pas.

Un plat à la présentation spectaculaire et pourtant économique, facile à réaliser et qui se prépare à l'avance. Les pâtes cuites et imprégnées de sauces réchauffées à la dernière minute sont encore meilleures.

Préparer les sauces

Aux noix

100 g (3 1/2 oz) de pâtes coupées

1 jaune d'œuf

75 ml (1/3 tasse) de crème 35 % ou de fromage ricotta

50 ml (1/4 tasse) de noix (noix de Grenoble, amandes, noisettes, arachides) hachées

30 ml (2 c. à soupe) ou plus de parmesan

Sel et poivre

Faire cuire les pâtes. Mélanger les autres ingrédients. Incorporer le mélange aux pâtes.

Aux tomates

100 g (3 1/2 oz) de pâtes coupées

15 ml (1 c. à soupe) d'huile d'olive

1 petit oignon haché

1 gousse d'ail écrasée

15 ml (1 c. à soupe) de poivron rouge ou vert en dés

2 grosses tomates coupées en dés

1 pincée de sucre

Sel et poivre

15 ml (1 c. à soupe) de basilic haché

Faire cuire les pâtes. Dans une poêle, chauffer l'huile et faire revenir l'oignon, l'ail et le poivron jusqu'à ce que l'oignon soit transparent. Ajouter les tomates, le sucre, le sel et le poivre. Laisser mijoter à feu doux 12 min. Mélanger la sauce aux pâtes et parsemer de basilic.

Au fromage bleu

100 g (3 1/2 oz) de pâtes longues ou coupées

50 g (2 oz) de fromage bleu

15 ml (1 c. à soupe) de beurre

15 ml (1 c. à soupe) de porto (facultatif)

Faire cuire les pâtes. À l'aide d'une cuillère en bois, battre le fromage et le beurre en pommade, en ajoutant graduellement le porto. Mélanger la sauce avec les pâtes.

À l'ail

100 g (3 1/2 oz) de pâtes longues

15 ml (1 c. à soupe) d'huile d'olive ou de beurre

2 gousses d'ail écrasées

30 ml (2 c. à soupe) de persil haché

Sel et poivre

Faire cuire les pâtes. Mettre l'huile ou le beurre dans une poêle et faire revenir l'ail à feu moyen 30 s. Ajouter le persil et assaisonner. Mélanger avec les pâtes.

Servir

Quinze minutes avant de passer à table, réchauffer les pâtes au four à 180 °C (350 °F). Couvrir les récipients de papier d'aluminium afin que les pâtes ne se dessèchent pas. Lorsqu'elles sont assez chaudes, répartir un quart de chacune des préparations et servir aussitôt.

Riz frit à l'ananas

1 ananas

250 ml (1 tasse) de riz ordinaire,
basmati ou jasmin

30 ml (2 c. à soupe) d'huile de sésame
ou végétale

1 oignon haché

1 gousse d'ail hachée

250 ml (1 tasse) de porc ou
de jambon en cubes

125 ml (1/2 tasse) d'arachides
ou de noix de cajou

1 piment fort (jalapeño ou autre)
épépiné et haché*

45 ml (3 c. à soupe) de sauce soja

2 oignons verts hachés

Menthe ou coriandre hachée

1

Pour diviser en deux l'ananas dans le sens de la longueur, le coucher, puis placer la main sur le dessus et, en utilisant un grand couteau, couper en commençant par la base jusqu'à l'extrémité feuillue. Pour détacher la chair, passer un petit couteau contre la paroi de l'écorce et de chaque côté du cœur. Retirer la chair.

2

Couper 250 ml (1 tasse) d'ananas en dés.

3

Faire cuire le riz selon les indications sur l'emballage.

4

Chauffer l'huile dans une grande poêle ou dans un wok. Ajouter l'oignon, l'ail et le porc et faire sauter, à feu moyen, 15 min ou jusqu'à ce que la viande soit bien cuite.

* Se laver les mains après avoir manipulé le piment fort.

5

Ajouter les noix, l'ananas, le piment et le riz cuit. Incorporer la sauce soja et bien mélanger.

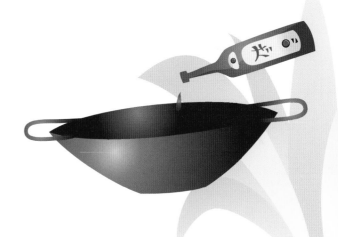

Servir

Pour une jolie présentation, remplir les moitiés d'ananas évidées et décorer d'oignons verts et du hachis de fines herbes.

2

portions

• **Facile** • **Rapide** •

3 grosses saucisses
(de Toulouse, de Francfort, ou boudin blanc)

1 pomme de laitue

2 tomates en dés

2 branches de céleri en bâtonnets

1/2 poireau* émincé finement

45 ml (3 c. à soupe) de vinaigrette au choix
(p.16) ou celle à la page suivante

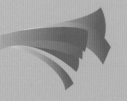

* Voir p. 43, l'étape 3, pour savoir
comment nettoyer le poireau.

Salade de saucisses

1

Faire cuire les saucisses dans l'eau bouillante ou à la vapeur pendant 8 min.

2

Couper en rondelles.

3

Déchirer ou couper la laitue et en couvrir le fond d'une assiette de service.

4

Garnir de tomates, de céleri et de poireau.

5

Disposer les rondelles de saucisse et arroser de vinaigrette.

Vinaigrette à la moutarde

15 ml (1 c. à soupe) de vinaigre

2 ml (1/2 c. à thé) de moutarde en poudre

1 ml (1/4 c. à thé) d'épices à steak

45 ml (3 c. à soupe) d'huile

- Fouetter ensemble le vinaigre, la moutarde en poudre et les épices à steak.
- Incorporer l'huile.

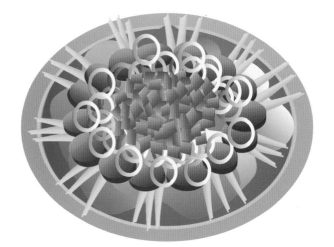

Sandwich au thon

4
sandwichs

• **Facile** • **Rapide** •

3 œufs durs*

1 boîte (170 g/6 oz) de thon

20 olives vertes farcies au piment ou olives
noires tranchées finement

15 ml (1 c. à soupe) de persil haché

30 ml (2 c. à soupe) et plus de mayonnaise

15 ml (1 c. à soupe) de jus de citron

Sel et poivre

Pain, au choix

* La meilleure façon de cuire un œuf dur
est de le déposer dans une casserole
d'eau froide légèrement vinaigrée.
Dès que l'eau bout, réduire la chaleur
et laisser frémir 10 min.
Passer immédiatement sous l'eau
froide avant d'écaler.

Écaler les œufs durs et les écraser à la fourchette.

2

Mélanger avec les autres ingrédients.

3

Tartiner sur du pain grillé ou farcir des petits pains ronds.

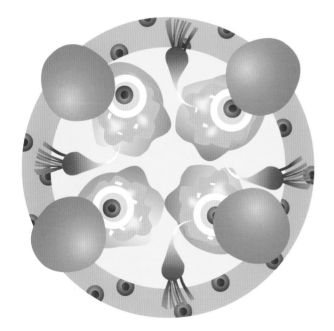

Idées de garnitures avec poisson et crustacés

- Avec du pain noir (russe ou pumpernickel), pour 4 personnes : 1 boîte (213 g/7,5 oz) de saumon mélangé avec le jus d'un demi-citron, 4 grosses cuillerées de mayonnaise, un soupçon de moutarde, 2 oignons verts hachés et 1 branche de céleri en dés.

- Sur un muffin anglais séparé en deux et grillé ou dans un pita : des cubes d'avocat mélangés avec des petites crevettes arrosées de citron et un hachis de fines herbes (persil, coriandre, ciboulette).

- Sur un bagel ouvert : tartiner de fromage à la crème, couvrir de saumon fumé, d'oignons émincés et de câpres. Arroser d'un filet de jus de citron.

Autrement

On peut déposer une cuillerée à soupe de cette farce au thon sur des feuilles d'endive et les servir en entrée.

Sandwich à la viande

1

sandwich

• Facile • Rapide •

1 tranche mince de bifteck de 100 g (3 1/2 oz)
ou une portion de bœuf haché façonné
en forme allongée et aplatie

1 morceau de baguette

Beurre

Moutarde de Dijon

1 cornichon en rondelles

1

Dans une poêle, à feu moyen-fort, avec une noix
de beurre, saisir le bifteck ou le bœuf haché.
Laisser refroidir.

2

Ouvrir la baguette, tartiner de beurre et de
moutarde.

3

Tailler le bifteck en fines tranches. Déposer la
viande sur un côté de la baguette.

4

Répartir les rondelles de cornichon et couvrir de
l'autre moitié de la baguette.

Idées de garnitures avec viande

- Des tranches de bacon, de tomate, un oignon vert
haché et un peu de moutarde de Dijon mélangée avec
un soupçon de miel.

- Des cubes de jambon, des tranches de radis, des dés
de feta marinés dans une vinaigrette à l'ail et quelques
feuilles de laitue.

- Des fines tranches de dinde,
du chou rouge râpé finement et
un peu de confiture d'abricot.

- Des morceaux de poulet avec
la salsa à la mangue
(p. 30).

Sandwichs végétariens

Des garnitures à déposer sur une tranche épaisse
d'un bon pain de campagne ou celui de votre choix.

• Fromage de chèvre et purée d'ail

Tartiner de purée d'ail confit (p. 29) une tranche de pain,
disposer quelques tomates confites (p. 28), et couvrir de
fromage de chèvre et d'un hachis de basilic et d'origan.
Mettre au four à 190 °C (375 °F), 7 min.

• Poire et fromage bleu

Faire griller une tranche de pain, tartiner de fromage bleu
(de bresse, cambozola, fourme d'Ambert, roquefort),
couvrir de tranches fines de poires, y étaler un peu de miel
ou saupoudrer un peu de sucre, parsemer d'une petite
cuillerée de chapelure et faire gratiner au four à 220 °C
(450 °F) 5 min.

• Pomme et fromage fondant

Beurrer une tranche de pain des deux côtés, la faire dorer
dans une poêle antiadhésive, retourner et couvrir de
fromage fondant (gruyère, emmenthal, cheddar), de fines
tranches de pomme verte et de quelques brindilles de
romarin (facultatif). Faire chauffer en enfonçant les
pommes dans le fromage à mesure qu'il fond. Prêt en
5 min.

• Champignons sautés et fromage de chèvre

Tartiner de beurre une tranche de pain et la déposer
côté beurré sur une plaque à biscuits. Mettre une tranche
de fromage de chèvre, quelques tranches de champignons sautés à l'ail et aux herbes. Arroser d'un soupçon
de vinaigre balsamique ou de sauce soja, assaisonner de
sel et poivre et couvrir d'une deuxième tranche beurrée
à l'extérieur. Rôtir au four à 200 °C (400 °F) 4 à 5 min
jusqu'à ce que le pain soit doré.

• Aubergines, courgettes et tomates

Pour préparer des sandwichs chauds ou froids, les
légumes séchés, grillés et confits présentés en pages
26 à 29 peuvent servir d'éléments principaux ou de
condiments.

Pita au poulet cajun

2
sandwichs

1 poitrine de poulet

5 ml (1 c. à thé) d'huile

7 ml (1 1/2 c. à thé) d'épices cajuns*

1 pita en deux

30 ml (2 c. à soupe) d'hoummos (p. 22)

12 tranches de concombre

1 filet de jus de citron

Sel et poivre

* On peut trouver cet assaisonnement dans le commerce ou préparer soi-même un mélange avec des portions égales de paprika, sel d'ail, sel de céleri, chili en poudre, basilic, origan, poivre noir et cayenne.

Ce que je préfère l'été ?
Un pique-nique avec des
amis où chacun apporte des
sandwichs ; je découvre ainsi
des combinaisons originales…
qui changent du tomate-laitue-
mayonnaise.

Couper le poulet en fines lamelles.

Dans une poêle, chauffer l'huile, à feu moyen, et faire revenir le poulet, 15 min, jusqu'à ce qu'il soit cuit. Enrober d'épices cajuns.

Tartiner l'intérieur des pitas d'hoummos, ajouter le poulet et le concombre, asperger d'un filet de jus de citron, saler et poivrer.

Idées de garnitures pour pita

• À la marocaine : déposer sur le pita une merguez ou un kafta du Moyen-Orient (p. 78), de l'hoummos (p. 22), des tranches de concombre et de tomates cerises. Assaisonner de sel, de poivre et d'origan avant de former un rouleau. Pour le garder fermé, enrouler du papier ciré autour de la base du sandwich.

• À la russe : tartiner l'intérieur de fromage à la crème et remplir de tranches de concombre dégorgé et mélangées avec de l'aneth haché. Asperger d'un filet de jus de citron et assaisonner généreusement de sel et de poivre. Ne pas préparer trop à l'avance.

• À la végétarienne : tartiner l'intérieur de beurre écrasé avec du jus de citron, couvrir de germes (de luzerne, de radis, de fenugrec ou de tournesol), de feta émiettée et de tranches de radis. Assaisonner de sel et de poivre.

• À la Chrystine : on peut profiter du fait que le pita ne se mouille pas trop et manger notre salade en sandwich, comme la salade de courgettes (p. 21), en y ajoutant seulement quelques cubes de tomates.

12

cigares

• Facile • Rapide •

400 g (12 oz) de fromage feta

2 œufs battus

30 ml (2 c. à soupe) de ciboulette hachée
ou de persil haché

12 feuilles de pâte phyllo

30 ml (2 c. à soupe) de beurre fondu

1 citron en quartiers

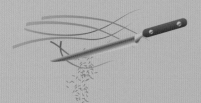

Cigares au fromage

Les cigares au fromage,
plus nourrissants qu'il
n'y paraît, constituent
un mets exotique
(la recette est inspirée
des borek turcs) qui
étonnera vos amis.

1

Écraser la feta à la fourchette et la mélanger avec les œufs. Ajouter la ciboulette hachée.

2

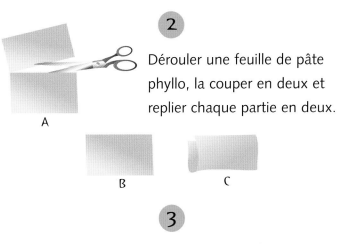

Dérouler une feuille de pâte phyllo, la couper en deux et replier chaque partie en deux.

A

B   C

3

Déposer deux cuillerées du mélange de fromage à 2,5 cm (1 po) du bord de la feuille, refermer les côtés sur la garniture puis rouler.

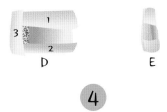

D   E

4

Badigeonner de beurre fondu.

5

Déposer les cigares sur une plaque à biscuits et cuire au four à 180 °C (350 °F), 20 min, ou jusqu'à ce qu'ils soient dorés.

Servir

Disposer dans chaque assiette trois cigares au fromage sur quelques feuilles de laitue et décorer d'un quartier de citron. Chaque convive pourra se presser un filet de jus de citron avant de les déguster. Accompagner d'une généreuse salade.

Autrement

- À la grecque : ajouter des épinards cuits, bien essorés et hachés à la garniture ci-dessus.
- À la suisse : des languettes de jambon, du gruyère râpé, un soupçon de moutarde de Dijon et un peu de crème pour lier le tout.
- À l'italienne : des dés de pepperoni et de mozzarella avec un peu de sauce tomate (p. 75).
- À la chinoise : du porc haché, du gingembre râpé, de l'oignon vert émincé, un hachis de coriandre ou de persil, un peu de sauce soja et, sur le dessus des cigares, parsemer des graines de sésame.

Pizza Quattro stagioni
(quatre saisons)

4

portions

4 pâtes à pizza* de 20 cm (8 po)

500 ml (2 tasses) de sauce tomate

500 ml (2 tasses) de mozzarella râpée

Parmesan (facultatif)

Poivre du moulin

Garnitures

Hiver : jambon et poivron vert en lanières

Printemps : olives noires ou vertes et
poivron rouge en cubes

Été : cœurs d'artichauts en morceaux

Automne : champignons en tranches

* On trouve des pâtes non garnies au
comptoir réfrigéré ou avec les produits
surgelés. On peut aussi acheter de la
pâte à pizza chez le boulanger.

Couvrir la pâte de sauce tomate et disposer chacune des garnitures sur un quart de la pâte. Répartir la mozzarella, saupoudrer de parmesan et poivrer.

2

Cuire sur la grille du bas du four à 200 °C (400 °F), 10 à 12 min, jusqu'à ce que la croûte soit croustillante et le fromage fondu.

Sauce tomate express
500 ml (2 tasses)

2 boîtes (796 ml/28 oz) de tomates en dés

30 ml (2 c. à soupe) d'huile d'olive

2 gousses d'ail émincées

1 pincée de sucre

1 ml (1/4 c. à thé) de sel

Poivre

2 ml (1/2 c. à thé) d'origan

2 ml (1/2 c. à thé) de basilic séché ou
15 ml (1 c. à soupe) de basilic frais haché

50 ml (1/4 tasse) de vin blanc ou rouge (facultatif)

- Égoutter les tomates et les hacher grossièrement. Conserver le jus pour l'ajouter à une soupe.
- Dans une poêle au revêtement antiadhésif ou en acier inoxydable (éviter les poêles en fonte ou en fer), à feu moyen-doux, chauffer l'huile et faire sauter l'ail 30 s sans lui permettre de brunir.
- Ajouter les tomates, le sucre, le sel et le poivre, puis laisser mijoter 15 min. Réduire le feu si la sauce éclabousse. Remuer de temps en temps et ajouter un peu de jus si la sauce se dessèche trop. Pour terminer, ajouter les herbes, le vin et poursuivre la cuisson 2 min.

Improviser des pizzas

En variant les bases

Utiliser des muffins anglais coupés en deux, des pitas ou du pain indien naan.

En variant les garnitures

Méditerranéenne

Badigeonner la base d'huile d'olive,
garnir de tomates confites (p. 28),
de courgettes ou d'aubergines grillées (p. 27),
saupoudrer d'origan et parsemer de
fromage de chèvre émietté.

Végétarienne

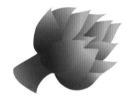

Étendre un peu de sauce tomate,
garnir de têtes d'asperges et de bouquets de brocoli
préalablement cuits, de morceaux de cœurs
d'artichauts et de tranches d'oignon rouge.

Pomme d'Adam

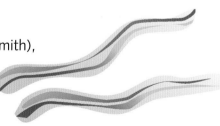

Répartir des tranches fines de pommes
(choisir une variété assez ferme, comme la Granny Smith),
des morceaux de bacon cuits
et couvrir de cheddar.

Cuisson : au four à 90 °C (375 °F) jusqu'à ce que la garniture forme
de petits bouillons et que le fromage gratine légèrement.

En réalisant des pizza calzone

4

pizzas pochettes

500 g (1 lb) de pâte à pizza achetée chez le boulanger ou 8 tortillas

500 ml (2 tasses) de mozzarella râpée

125 ml (1/2 tasse) de mayonnaise

1 boîte (398 ml/14 oz) de cœurs d'artichauts en morceaux

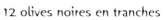

12 olives noires en tranches

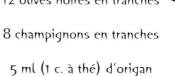

8 champignons en tranches

5 ml (1 c. à thé) d'origan

1 gousse d'ail écrasée

Abaisser la pâte pour obtenir 8 cercles d'environ 15 cm (6 po) de diamètre.

Mélanger tous les ingrédients et répartir le mélange sur la moitié de chaque cercle obtenu ou de chacune des tortillas. Replier et presser pour répartir également la garniture. À l'aide d'une fourchette, appuyer sur la partie arrondie pour sceller les pochettes.

Cuire au four, pour la pâte à pizza, 15 min à 200 °C (400 °F) et pour les tortillas, 10 min à 190 °C (375 °F).

Kafta du Moyen-Orient

8 en forme de saucisse

500 g (1 lb) d'agneau haché

1 œuf battu

1 oignon haché finement

1 gousse d'ail écrasée

15 ml (1 c. à soupe) de coriandre hachée

15 ml (1 c. à soupe) de persil haché

15 ml (1 c. à soupe) de menthe hachée

10 ml (2 c. à thé) de paprika

2 ml (1/2 c. à thé) de cumin

1 ml (1/4 c. à thé) de cannelle

1 ml (1/4 c. à thé) de gingembre moulu

1 ml (1/4 c. à thé) de sel

1 pincée de cayenne

1

Combiner tous les ingrédients avec les mains. Laisser la viande s'imprégner des épices pendant 1 h.

2

Façonner des saucisses avec les mains farinées ou mouillées afin qu'elles ne collent pas.

3

Au barbecue : enfiler les kaftas sur des brochettes en bois (préalablement trempées) et les cuire à une température élevée pendant 5 min de chaque côté.

Au four : déposer les kaftas sur une grille au-dessus d'une plaque à biscuits et les cuire sous le gril 4 min de chaque côté.

4

Déguster tels quels ou dans des pitas garnis de tomates, d'oignon et de laitue arrosés d'une sauce à l'ail.

Sauce à l'ail

125 ml (1/2 tasse) de yogourt

125 ml (1/2 tasse) de mayonnaise

1 gousse d'ail écrasée

30 ml (2 c. à soupe) de ciboulette hachée

● Mélanger ensemble tous les ingrédients.

Servir

Pour un repas typiquement méditerranéen, accompagner les kaftas de courgettes ou d'aubergines grillées (p. 27) avec de l'hoummos (p. 22). Ou kaftas, couscous (p. 56) et baklavas (p. 106) sur un air marocain.

Boulettes à la mexicaine

18
boulettes

• Facile • Rapide •

500 g (1 lb) d'agneau ou de bœuf haché

2 gousses d'ail écrasées

1 œuf battu

5 ml (1 c. à thé) de coriandre moulue ou
15 ml (1 c. à soupe) fraîche hachée

1 ml (1 c. à thé) de sel

1 ml (1 c. à thé) de piments en flocons
(facultatif)

Farine

Huile d'olive

1

Combiner tous les ingrédients, sauf la farine et
l'huile d'olive, avec les mains.

2

Façonner de petites boulettes, les mains farinées
ou mouillées afin qu'elles ne collent pas.

3

Disposer les boulettes dans une assiette et les huiler
légèrement à l'aide d'un pinceau.

4

Cuire au micro-ondes de 3 à 5 min selon la grosseur.
Éviter de trop cuire sans quoi les boulettes deviennent
caoutchouteuses.

Délicieuses telles quelles
ou sur un lit de riz,
nappées de sauce chili
(p. 17).

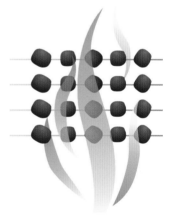

 Servir

Composer un repas à la mexicaine en préparant un
gaspacho (p. 44) ou la salsa gratinée (p. 32) en entrée et,
pour accompagner ces boulettes, un chili (p. 82).
Pour apaiser la saveur piquante qui emporte la bouche,
terminer par un granité à la pastèque (p. 120).

Hamburger surprise

4
portions

• **Facile** • **Rapide** •

500 g (1 lb) de viande hachée
(bœuf ou veau)

30 ml (2 c. à soupe) de préparation à soupe
à l'oignon déshydratée (facultatif)

4 gros cubes de fromage fondant
(mozzarella, cheddar ou gruyère)

Sel et poivre

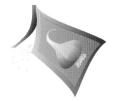

1

Mélanger la viande avec la soupe à l'oignon
déshydratée et laisser mariner au réfrigérateur 1 h.
Diviser la viande d'abord en 4 portions puis rediviser
en deux.

2

Façonner 8 galettes minces.

3

Déposer un cube de fromage sur 4 des galettes.
Couvrir des 4 autres galettes et aplatir pour bien
souder les bords afin que le fromage, qui fondra à
la cuisson, ne s'écoule pas dans la poêle ou sur les
grilles du barbecue. Saler et poivrer.

4

Griller les galettes au barbecue jusqu'à ce que les
jus de viande perlent sur les galettes ou dans une
poêle avec un peu de beurre, à feu moyen, 3 min
de chaque côté.

Servir

• Avec les assaisonnements traditionnels : moutarde, relish,
  tomate et hachis d'oignon.
• Ou pour faire changement : feuilles de laitue et
  mayonnaise aux tomates séchées (p. 16) ou mayonnaise
  aux fines herbes (p. 16).
• Avec une généreuse portion de bâtonnets de pommes
  de terre (p. 53).

Chili con carne

2 oignons hachés finement

2 gousses d'ail hachées

30 ml (2 c. à soupe) d'huile d'olive

750 g (1 1/2 lb) de bœuf haché

1 boîte (796 ml/28 oz) de tomates

5 ml (1 c. à thé) de cumin

30 ml (2 c. à soupe) de chili en poudre

1 feuille de laurier

Sel et poivre
(ou cayenne pour un plat plus relevé)

2 boîtes (540 ml/19 oz) de haricots rouges

125 ml (1/2 tasse) de cheddar, emmenthal
ou gruyère râpé (facultatif)

Un sac de natchos

Je prépare toujours ce plat en grande quantité et j'en congèle la moitié en portions pour une personne : c'est idéal pour les lunchs !

82

1

Dans une grande casserole, faire revenir, à feu moyen, les oignons et l'ail dans l'huile.

2

Ajouter la viande et mélanger aux oignons en écrasant avec une fourchette pour éviter les gros grumeaux. Cuire de 5 à 7 min jusqu'à ce que la viande perde sa couleur rosée.

3

Ajouter les tomates et les épices et cuire, à feu doux, 1 h.

4

Ajouter les haricots, poursuivre la cuisson 20 min. Ajouter un peu d'eau ou du bouillon de bœuf si la consistance est trop épaisse.

Servir

Parsemer le chili de fromage râpé et l'entourer de chips de natchos.

Autrement

Pour un chili végétarien, remplacer la viande par 250 ml (1 tasse) de tofu émietté ou mieux par la même quantité de boulghour, car en combinant une légumineuse et une céréale, on obtient les mêmes protéines complètes que procurerait un plat contenant de la viande.

Fondue chinoise

Bouillon

15 ml (1 c. soupe) de beurre ou d'huile

1 oignon tranché finement

1 l (4 tasses) de bouillon de bœuf

500 ml (2 tasses) de vin rouge

15 ml (1 c. à soupe) de sauce Worcestershire

5 ml (1 c. à thé) de Tabasco

1 bouquet garni (persil, thym, laurier)

Viande ou volaille*

250 g (8 oz) par personne

Bœuf : œil de ronde

Poulet : poitrine

* On trouve au comptoir des produits congelés de fines tranches de viande prévues à cet effet ou on peut demander à l'avance à son boucher d'en préparer. Pour le faire soi-même, il est plus aisé de trancher la viande si elle a été partiellement congelée au préalable.

Faire fondre le beurre dans le caquelon à fondue, y faire revenir l'oignon jusqu'à ce qu'il soit légèrement doré.

Ajouter tous les ingrédients et laisser cuire à feu doux 30 min.

3

Réchauffer à feu élevé avant de déposer sur le réchaud.

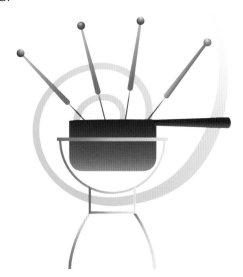

Chaque convive pique un morceau de viande et le plonge dans le bouillon. Comme la viande a été coupée finement, 1 min environ suffira.

Servir

La fondue chinoise est l'un de mes plats favoris (je pourrais en manger chaque semaine). J'adore prendre mon temps pour tremper les lamelles de viande dans une sauce, goûter à une deuxième, la mêler à une troisième et recommencer.

Essayez celles-ci : mayonnaise aux tomates séchées ou aux fines herbes (p. 16), sauce chili ou à la grecque (p. 17)...

Truc

À la fin du repas, quand il reste du bouillon, on peut y casser un œuf, brasser rapidement et déguster cette « soupe ».

Osso buco gratiné

30 ml (2 c. à soupe) de beurre

4 à 6 tranches de jarret de veau (avec l'os)

1 oignon haché

1 gousse d'ail hachée

30 ml (2 c. à soupe) de farine

250 ml (1 tasse) de vin blanc

500 ml (2 tasses) de bouillon de bœuf

15 ml (1 c. à soupe) de pâte de tomates

4 tomates en cubes

500 g (1 lb) de macaronis longs ou courts

15 ml (1 c. à soupe) d'huile

125 ml (1/2 tasse) de gruyère ou
d'emmenthal râpé

Persil haché ou gremolata

Gremolata

30 ml (2 c. à soupe) de persil haché

1 gousse d'ail écrasée

15 ml (1 c. à soupe) de zeste d'orange

5 ml (1 c. à thé) de zeste de citron

Ce plat a le merveilleux avantage d'être meilleur quand il est préparé à l'avance et réchauffé.

1

Dans une cocotte, fondre le beurre et y faire dorer la viande des deux côtés avant d'ajouter l'oignon et l'ail. Saupoudrer de farine et bien remuer.

2

Verser le vin blanc et le bouillon de bœuf, puis incorporer la pâte de tomates. Laisser mijoter à couvert 45 min.

3

Ajouter les tomates et poursuivre la cuisson 25 min.

4

Faire cuire les macaronis dans l'eau bouillante salée, les égoutter et les mettre dans un plat allant au four avec l'huile pour éviter qu'ils ne collent.

5

Retirer la viande de la cocotte, verser la sauce obtenue sur les pâtes et mélanger.

6

Déposer les jarrets sur les pâtes, couvrir de fromage râpé et faire gratiner au four à 230 °C (450 °F) 2 min.

7

Pour préparer la gremolata, il suffit de mélanger ensemble tous les ingrédients

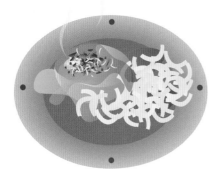

Servir

Parsemer de persil haché ou de gremolata.

30 ml (2 c. à soupe) d'huile

1 oignon en rondelles

250 ml (1 tasse) de champignons
en quartiers

250 ml (1 tasse) de pois mange-tout

250 ml (1 tasse) de germes de soja

1 poivron rouge en lanières

500 g (1 lb) de porc maigre en fines lanières

1 boîte (284 ml/10 oz)
de mandarines égouttées

60 ml (4 c. soupe)
de sauce soja

125 ml (1/2 tasse)
de jus d'orange

1 gousse d'ail émincée

5 ml (1 c. thé) de gingembre frais râpé

30 ml (2 c. à soupe) de fécule de maïs

Sauté de porc à la mandarine

J'aimerais bien aller en Asie mais je n'ai pas la patience de supporter d'aussi longues heures de vol… alors je voyage par la gastronomie chinoise, thaïlandaise ou vietnamienne en attendant de me décider à acheter un billet d'avion…

1

Chauffer une cuillerée d'huile dans une poêle ou dans un wok et faire revenir les légumes, à feu moyen, 3 min. Retirer les légumes et les mettre de côté.

2

Dans la même poêle, ajouter une autre cuillerée d'huile et faire sauter la viande 5 min.

3

Remettre les légumes et ajouter les mandarines.

4

Mélanger la sauce soja, le jus d'orange, l'ail, le gingembre et y délayer la fécule de maïs. Mélanger à la viande et aux légumes. Hausser la chaleur et faire cuire en remuant délicatement 1 à 2 min jusqu'à ce que la sauce épaississe.

Servir

Délicieux avec du riz basmati ou des vermicelles de riz, ou composer un repas mandarin (chinois) en proposant en entrée une soupe rapide à la chinoise (p. 47) et en terminant par une corbeille de fruits d'été (p. 118).

Autrement

On peut aussi réaliser cette recette avec du poulet, du bœuf ou de l'agneau.

Lapin aux pruneaux

30 ml (2 c. à soupe) d'huile d'olive

1 lapin d'environ 1 kg (2 lb)
coupé en 8 morceaux*

5 ml (1 c. à thé) de thym ou
d'herbes de Provence

Sel et poivre

175 g (6 oz) de lard fumé en cubes

4 gousses d'ail en morceaux

20 pruneaux dénoyautés

375 ml (1 1/2 tasse) de bouillon de poulet

* Demander au boucher de le faire en
prenant garde de fragmenter les petits os,
qui se détacheraient durant la cuisson et
qui pourraient être avalés par mégarde.

1

Chauffer l'huile dans une cocotte ou une casserole à fond épais allant au four. Y faire revenir les morceaux de lapin, à feu moyen, 4 min de chaque côté.

2

Assaisonner avec le thym, le sel et le poivre. Ajouter les lardons, l'ail et les pruneaux. Mouiller avec le bouillon et remuer. Couvrir et cuire dans un four à 220 °C (450 °F) 15 min.

3

Retirer le couvercle, remuer et enfourner de nouveau pendant 10 min. Remuer et poursuivre la cuisson encore 10 min, le temps que la sauce épaississe. Ajouter un peu d'eau si nécessaire.

Servir

Déposer directement la cocotte sur la table d'où s'échappera un fumet invitant.

Curry de poulet

5 ml (1 c. à soupe) d'huile végétale

1 poulet coupé en 10 morceaux ou
4 poitrines de poulet en lanières

1 oignon haché

4 tranches de jambon en lanières

4 pommes (de type MacIntosh)
en morceaux

1 boîte (796 ml/28 oz) de tomates

1 boîte (398 ml/14 oz) de lait de coco

45 ml (3 c. à soupe) de curry en poudre

175 ml (3/4 tasse) de noix de coco
fraîchement râpée ou achetée séchée râpée

1 banane en rondelles

Il doit y avoir autant de
sortes de curry en Inde
qu'il y a de régions !
Voici une version
occidentalisée, peu
relevée mais néanmoins
exotique.

92

1

Dans une cocotte, chauffer l'huile et y faire dorer à feu moyen le poulet de tous les côtés.

2

Ajouter l'oignon et le jambon, puis les pommes et laisser cuire 3 min en remuant.

3

Ajouter ensuite les tomates, le lait de coco et le curry. Cuire à couvert 1 h, à feu doux.

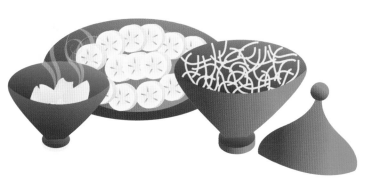

Servir

- Mettre la noix de coco râpée dans un petit bol et, juste avant de servir, couper la banane en rondelles et la disposer dans une assiette. Les convives pourront ajouter selon leur goût les bananes et la noix de coco.

- Accompagner de riz basmati.

Saumon en écailles de concombre

1 saumon entier ou en moitié d'environ 700 g (1 1/2 lb), sans la peau

Sel et poivre

1 citron en tranches

1 concombre anglais en tranches fines presque translucides

Vinaigrette

45 ml (3 c. à soupe) de jus de citron

75 ml (5 c. à soupe) d'huile d'olive

Sel et poivre

Décoration

Quelques feuilles de laitue ou de cresson

30 ml (2 c. à soupe) d'oignons verts hachés

30 ml (2 c. à soupe) de câpres

Mon chat Valentin miaule avec ténacité quand je prépare ce poisson et je me trouve bien généreuse de lui en offrir une bouchée quand vient le moment de déguster ce saumon. On a tout de suite envie d'une grande balade au bord de la rivière…

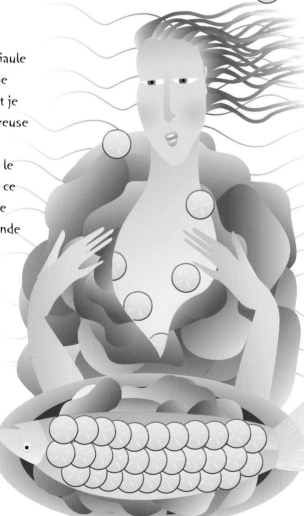

94

1

Dans un four préchauffé à 200 °C (400 °F), cuire le saumon en papillote : l'assaisonner de sel et de poivre, déposer dessus les tranches de citron et l'envelopper de papier d'aluminium.

2

Après 15 min, vérifier la cuisson et la prolonger de quelques minutes si le saumon est encore trop rosé. Retirer la peau, le citron et laisser refroidir entière-ment.

3

Mettre à réfrigérer pendant 2 h au moins avant de le déposer dans une grande assiette de service garnie de laitue, d'oignons verts et de câpres. Couvrir entièrement le saumon de tranches de concombre minces en les faisant se chevaucher.

Servir

Avec une vinaigrette en saucière ou une mayonnaise (p. 16).

Autrement

Des portions individuelles de filets de saumon

4 filets de saumon de 150 g (5 oz) chacun

1 concombre en tranches fines

125 ml (1/2 tasse) de vinaigrette

Oignons verts hachés et câpres pour la décoration

- Badigeonner les filets de saumon d'une cuillerée de vinaigrette et assaisonner de sel et de poivre. Couvrir de tranches de concombre en les faisant se chevaucher.
- Badigeonner d'une autre cuillerée de vinaigrette. Cuire à la vapeur pendant environ 7 min. Éviter de trop cuire le saumon qui, en perdant sa couleur rosée, devient sec.
- Garnir le fond de chacune des assiettes de laitue et parsemer d'oignons verts et de câpres. Y disposer le saumon encore chaud arrosé de vinaigrette.

Truc

On peut improviser une casserole à vapeur en versant de l'eau dans une grande casse-role et en plaçant un bol à l'envers au fond. Déposer au-dessus une assiette avec les morceaux de saumon. La vapeur doit circuler tout autour de l'assiette.

1 boîte (540 ml/19 oz) de tomates en dés

5 ml (1 c. à thé) d'huile d'olive

30 ml (2 c. à soupe) de beurre fondu

1/2 oignon haché fin

Sel et poivre

4 filets de sole de 150 g (5 oz) chacun

15 ml (1 c. à soupe) de persil haché

125 ml (1/2 tasse) de vin blanc

75 ml (1/3 tasse) de crème 35 %

Paupiettes de sole

J'aime beaucoup ce plat léger qui me permet de m'abandonner ensuite aux desserts les plus riches sans culpabilité…

1

Égoutter les tomates et conserver le jus pour une autre utilisation.

2

Chauffer l'huile dans une petite casserole en acier inoxydable et cuire les tomates à feu moyen, 10 min, jusqu'à l'obtention d'une purée épaisse.

3

Mettre le beurre dans un plat allant au four et répartir l'oignon et la moitié de la purée de tomates. Saler et poivrer.

4

Rouler les filets de sole en un cylindre serré retenu par un cure-dent.

5

Les disposer dans le plat et couvrir du reste de purée de tomates et du hachis de persil. Arroser avec le vin.

6

Couvrir d'un papier d'aluminium et cuire au four, à 180 °C (350 °F). Après 8 min, ajouter la crème, remuer, couvrir de nouveau et poursuivre la cuisson de 3 à 4 min jusqu'à ce que la chair du poisson commence à s'émietter.

Servir

Déposer les paupiettes dans les assiettes et napper de sauce.

Présentation

Décorer l'assiette de poissons taillés dans du pain. Pour ce faire, découper dans un carton un petit poisson, l'apposer sur les tranches de pain et en faire le tour avec un couteau. Faire griller et tartiner de beurre.

Plateau de fromage

Trous de souris

1 morceau d'emmenthal d'environ
2,5 cm (1 po) d'épaisseur

5 branches de persil

1 botte de petits radis

10 grains de poivre

- Déposer le fromage dans une assiette de service et y éparpiller quelques brindilles de persil.

- Pour confectionner les souris, choisir 5 ou 6 radis avec une longue racine à l'extrémité qui tiendra lieu de queue. Couper la tige retenant la feuille proche du pédoncule en laissant un tout petit bout qui formera le museau de la souris.

- Choisir un trou dans le fromage pour y insérer un de ces radis tout en laissant au moins la moitié sortie et placer la petite queue en l'air. Faire de même avec 1 ou 2 autres souris sur le dessus ou sur les côtés du fromage.

- Pour les souris que l'on verra entières, former des yeux en enfonçant un grain de poivre de chaque côté du museau. Disposer les souris joliment sur le fromage ou dans l'assiette.

Comment composer un plateau de fromages

Il s'agit de choisir dans trois catégories ou plus un fromage qui vous fait envie…

Fromage à pâte molle : camembert, brie, saint-morgon, saint-albray, Gourmelin, lechevalier Mailloux, pied-de-vent, brillat-savarin, coulommiers

Fromage mi-ferme : tomme de Savoie, Victor et Berthold, gouda, cheddar, cantal

Fromage à pâte ferme : gruyère, emmenthal, jarlsberg, mimolette

Chèvre : crottin de Chavignol, bûche de chèvre, camembert de chèvre, capri gourmet, charolais

Bleu : roquefort, fourme d'Ambert, bleu d'Auvergne, bleu des Causses, stilton

Brebis : brebiou, ossau-iraty, petit basque

Enfin le dessert !

Un peu, beaucoup, passionnément, à la folie... Je ne sais pas encore quel dessert est mon préféré. Alors, je suis condamnée à les goûter encore et encore jusqu'à ce que je trouve lequel est mon chouchou...

Quatre-quarts

10

portions

• **Facile** •

4 œufs*

Sucre

Beurre ramolli

Farine

7 ml (1 1/2 c. à thé) de poudre à pâte
(facultatif)

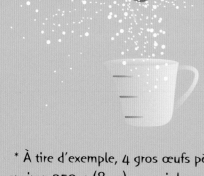

* À tire d'exemple, 4 gros œufs pèsent
environ 250 g (8 oz), ce qui donne pour
le même poids en volume : 250 ml (1 tasse)
de sucre, 250 ml (1 tasse) de beurre,
500 ml (2 tasses) de farine.

On ne peut oublier la recette du quatre-quarts tellement elle est simple : il suffit que les ingrédients aient le même poids. On pèse les œufs en premier, puis la farine le sucre et le beurre. Je remarque que plusieurs pâtissiers ajoutent de la poudre à pâte pour aider le gâteau à lever. Moi, je n'en mets toujours pas.

1

Battre les œufs et le sucre. Ajouter le beurre ramolli et la farine.

2

Verser dans un moule de 23 cm (9 po) et cuire au four, à 180 °C (350 °F), environ 40 min ou jusqu'à ce qu'un couteau en ressorte propre.

Servir

- Tel quel ou découper une forme dans du papier, selon le thème du jour (flocon de neige, cœur, sorcière), et apposer ce cache sur le gâteau pour ensuite saupoudrer du sucre glace à l'aide d'une passoire.
- Couvrir de votre glaçage préféré ou de la glace luisante.
- Décorer de fleurs comestibles (pensées, capucines, pétales de rose).

Autrement

Comme le gâteau se fait sans recette, on peut improviser des garnitures en ajoutant une poignée de petits fruits (bleuets, framboises), des fruits secs (abricots, raisins), des noix hachées, le zeste d'une orange ou d'un citron ou des morceaux d'écorces confites (p. 122) et, les jours de fête, verser dans la préparation quelques cuillerées de Grand Marnier.

Glace luisante

2 blancs d'œufs

2 ml (1/2 c. à thé) de crème de tartre

750 ml (3 tasses) de sucre glace

- Battre les blancs d'œufs jusqu'à ce qu'ils soient mousseux et ajouter la crème de tartre. Continuer de battre et incorporer graduellement le sucre glace jusqu'à l'obtention de pics fermes, environ 7 min.
- Attendre que le gâteau soit refroidi pour le glacer.

Gâteau renversé aux ananas

9

portions

• **Facile** •

75 ml (1/3 tasse) de beurre en morceaux

250 ml (1 tasse) de cassonade

1 ml (1/4 c. à thé) de gingembre en poudre

1 boîte (540 ml/19 oz) d'ananas en tranches

Cerises au marasquin (facultatif)

Gâteau

375 ml (1 1/2 tasse) de farine

125 ml (1/2 tasse) de sucre

12 ml (2 1/2 c. à thé) de poudre à pâte

2 ml (1/2 c. à thé) de sel

2 ml (1/2 c. à thé) de gingembre en poudre

1 ml (1/4 c. à thé) de clou de girofle moulu

60 ml (4 c. à soupe) de beurre ramolli

1 œuf

125 ml (1/2 tasse) de sirop d'ananas

2 ml (1/2 c. à thé) de vanille

J'ai commencé à aimer les ananas en les découvrant dans ce gâteau que faisait ma tante Aline quand j'étais enfant.

1

Chauffer le four à 180 °C (350 °F).

2

Dans un moule rond de 22 cm (9 po), mélanger le beurre, la cassonade, le gingembre et faire fondre au four 5 min.

3

Disposer des tranches d'ananas au fond du moule. Réserver le sirop. Si désiré, disposer une cerise dans le trou de l'ananas et entre les tranches.

4

Mélanger ensemble la farine, le sucre, la poudre à pâte, le sel, le gingembre et le clou de girofle. Incorporer le beurre ramolli à l'aide d'un couteau à pâtisserie.

5

Battre l'œuf, le sirop d'ananas et la vanille et l'ajouter au mélange.

6

Étendre délicatement la pâte sur les ananas et cuire au four, 45 min, jusqu'à ce qu'un couteau en ressorte propre.

7

Laisser tiédir, détacher les bords, placer une assiette au-dessus du moule et renverser le gâteau sur l'assiette.

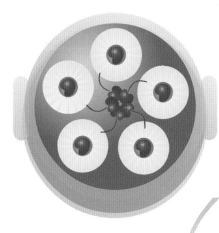

Gâteau Reine-Élisabeth

10

portions

250 ml (1 tasse) de dattes hachées finement

250 ml (1 tasse) d'eau bouillante

50 ml (1/4 tasse) de beurre

150 ml (2/3 tasse) de sucre

1 œuf

375 ml (1 1/2 tasse) de farine

5 ml (1 c. à thé) de bicarbonate de soude

5 ml (1 c. à thé) de poudre à pâte

5 ml (1 c. à thé) de vanille

Sauce

75 ml (5 c. à soupe) de beurre

100 ml (7 c. à soupe) de cassonade

45 ml (3 c. à soupe) de crème 35 %

150 ml (2/3 tasse) de noix de coco séchée

Je ne sais pas si la reine Élisabeth mange souvent ce dessert qui porte son nom, mais je me sens, moi, gâtée comme une princesse quand je le déguste !

Faire tremper les dattes dans l'eau 30 min.

Dans un bol, battre le beurre en pommade (pour obtenir une consistance crémeuse). Ajouter le sucre et l'œuf. Bien battre avant d'ajouter la farine, le bicarbonate de soude, la poudre à pâte, les dattes avec l'eau et la vanille.

3

Verser dans un moule carré de 22 cm (9 po) beurré et fariné et cuire au four à 180 °C (350 °F), 30 min, jusqu'à ce qu'un couteau en ressorte propre.

Quelques minutes avant la fin de la cuisson du gâteau, préparer la sauce : dans une petite casserole, à feu moyen, laisser fondre le beurre, ajouter la cassonade et la crème et cuire 1 min. Retirer du feu, incorporer la noix de coco et verser sur le gâteau encore chaud.

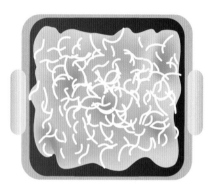

Baklavas

10

morceaux

75 ml (1/3 tasse) de beurre

30 ml (2 c. à soupe) de miel

5 ml (1 c. à thé) de cannelle

250 ml (1 tasse) de noix hachées (Grenoble,
pacanes, noisettes, amandes ou mêlées)

6 feuilles de pâte phyllo

15 ml (1 c. à soupe) de beurre fondu
pour badigeonner

Sirop

250 ml (1 tasse) d'eau

60 ml (4 c. à soupe) de miel

5 ml (1 c. à thé) d'eau de fleur d'oranger
(facultatif)

1

Battre le beurre en crème, ajouter le miel et la cannelle et incorporer les noix.

2

Badigeonner de beurre fondu chaque feuille de pâte phyllo et les surperposer.

3

Déposer 1/6 de la garniture de noix, puis rouler.

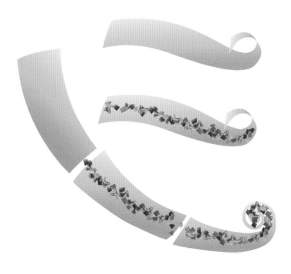

4

Placer le rouleau au bord de la feuille suivante, répartir de nouveau 1/6 de la garniture et rouler. Répéter l'opération.

5

Piquer le baklava avec une fourchette. Faire cuire au four à 180 °C (350 °F) 25 min.

6

Pendant ce temps, préparer le sirop. Faire chauffer l'eau avec le miel et l'eau de fleur d'oranger 15 min jusqu'à la consistance d'un sirop léger.

7

Couper le baklava en rondelles et arroser avec le sirop. Laisser s'imbiber avant de servir.

Clafoutis

6 portions

• Facile •

1 noix* de beurre

500 ml (2 tasses) de fruits frais
(cerises, bleuets, framboises
ou un mélange)

2 œufs

175 ml (3/4 tasse) de lait

60 ml (4 c. à soupe) de sucre

125 ml (1/2 tasse) de farine

1 pincée de sel

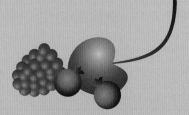

* Il s'agit d'un terme culinaire qui signifie
« de la grosseur d'une noix ». On dit aussi
« noisettes de beurre », les morceaux
sont alors plus petits.

À mon avis, le meilleur clafoutis
est celui où se marient plusieurs
fruits, car les arômes nous
permettent de rêver que nous
pique-niquons au jardin…

1

Beurrer généreusement un moule allant au four, préférablement en porcelaine ou en verre.

2

Déposer les fruits dans le moule.

3

Battre les œufs avec le lait et ajouter le sucre, une cuillerée à la fois. Bien mélanger avant d'ajouter la farine et le sel.

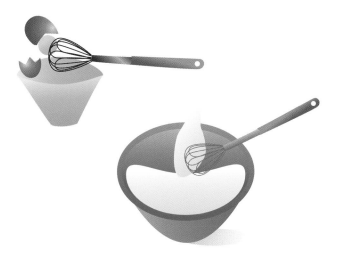

4

Verser le mélange sur les fruits.

5

Mettre au four à 180 °C (350 °F) 45 min. Le clafoutis est prêt lorsqu'un couteau enfoncé en ressort propre. Si la pâte y adhère, prolonger la cuisson de 5 à 10 min.

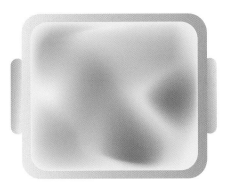

Le clafoutis se déguste aussi bien tiède que froid.

Autrement

Dans certaines recettes de clafoutis, on prétend qu'il faut dénoyauter les cerises, mais la vraie recette se fait avec des cerises entières (sans les queues bien sûr), car les noyaux donnent un parfum supplémentaire au dessert. Prévenir toutefois les convives afin qu'ils mâchent prudemment.

4
portions
• Facile •

100 g (4 oz) de chocolat mi-sucré*

60 ml (4 c. à soupe) d'eau

4 œufs (blancs et jaunes séparés)

250 ml (1 tasse) de crème à fouetter

60 ml (4 c. à soupe) de sucre

* Pour un effet étagé, utiliser moitié chocolat blanc, moitié chocolat mi-sucré. Faire fondre dans des casseroles séparées et poursuivre la préparation de la recette en partageant le reste des ingrédients en deux.

Mousse au chocolat glacé

Le chocolat est mon péché mignon et j'en croque un carré chaque midi… s'il ne reste plus de mousse dans le congélateur !

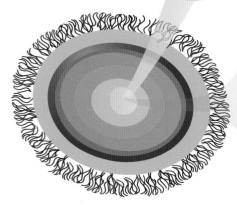

Dans une casserole moyenne, faire fondre le chocolat avec l'eau à feu doux. Bien surveiller, car le chocolat brûle facilement. Laisser tiédir 5 min.

Lorsque le chocolat est à la température ambiante, ajouter les jaunes d'œufs et battre à l'aide d'un fouet 1 min.

Dans un autre bol, fouetter la crème en ajoutant graduellement le sucre jusqu'à la formation de pics et ajouter au mélange chocolaté.

Dans un bol propre, fouetter les blancs d'œufs jusqu'à la formation de pics, environ 4 min et, en utilisant une spatule en caoutchouc, incorporer délicatement au mélange.

Verser dans un bol ou des coupes individuelles et placer au congélateur pendant 4 h.

Servir

Sortir les mousses au chocolat 5 min avant de les servir telles quelles ou décorées de noix hachées, d'amandes moulues, de tranches de banane ou de quartiers de clémentine. On peut aussi couvrir de chocolat râpé.

Truc

Pour séparer les jaunes des blancs d'œufs, procéder ainsi : frapper le centre de l'œuf sur le rebord d'un bol, écarter doucement les demi-coquilles en laissant s'écouler le blanc dans un bol. Séparer entièrement les coquilles et transvider le jaune dans l'autre coquille pour éliminer le plus de blanc possible. Déposer le jaune dans un petit bol.

Glace à la vanille

1 l
(4 tasses)

175 ml (3/4 tasse) de lait

500 ml (2 tasses) de crème 35 %

1 gousse de vanille ou
7 ml (1 1/2 c. à thé) de vanille

6 jaunes d'œufs*

150 ml (2/3 tasse) de sucre

* Les blancs d'œufs se conservent
au congélateur en attendant une
utilisation ultérieure. Les mettre deux
à la fois dans des contenants.
Voir la recette de glace luisante (p.101).

Attention ! Danger ! Quand vous aurez goûté à une glace maison, vous trouverez les recettes commerciales bien fades et très pâlottes, car la belle couleur jaune paille vient des vrais œufs qu'on utilise pour cette glace. Si je l'aromatise à la menthe, je rajoute quelques gouttes de colorant vert.

1

Dans une casserole, réchauffer à feu moyen le lait et la crème. Retirer du feu dès qu'il y a ébullition. Mettre la gousse de vanille dans la casserole et laisser infuser 20 min. Retirer la gousse de vanille.

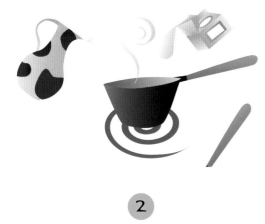

2

Dans un bol, battre les jaunes d'œufs avec le sucre 3 min jusqu'à l'obtention d'une crème pâle et onctueuse. Verser le lait et la crème sur les jaunes d'œufs et bien mélanger.

3

Mettre le mélange dans une nouvelle casserole. Cuire, à feu moyen, en remuant constamment avec une cuillère en bois. Retirer du feu dès que le mélange commence à épaissir.

4

Verser dans un plat en plastique ou en métal et placer au congélateur. À l'aide d'une cuillère en bois, battre la préparation toutes les 30 min au moins à cinq reprises.

Servir

Des boules de glace à la vanille, c'est bon ; y ajouter une garniture les rend à la fois colorées et encore plus savoureuses. Selon votre goût : de minuscules dés d'écorces confites (p. 122) ; des noix, pistaches ou amandes hachées et rôties au four quelques minutes ; des copeaux de chocolat ; de la menthe fraîche…

Autrement

On peut remplacer la vanille par du thé vert (30 ml/2 c. à soupe), de la menthe (un bouquet) ou de la lavande (45 ml/3 c. à soupe).

Sablés de la Saint-Valentin

30 biscuits

• Facile •

500 ml (2 tasses) de farine

1 bonne pincée de sel

175 ml (3/4 tasse) de beurre

125 ml (1/2 tasse) de sucre

3 jaunes d'œufs

1 œuf

5 ml (1 c. à thé) de vanille
(ou d'essence de menthe ou d'amande)

Cerises au marasquin en moitiés

Graisser une plaque à biscuits. Tamiser ensemble la farine et le sel et mettre de côté.

2

Dans un bol, battre le beurre et le sucre 2 min. Ajouter un premier jaune d'œuf et une cuillerée de farine, bien mélanger. Recommencer l'opération avec le deuxième et le troisième jaune d'œuf avec, chaque fois, une cuillerée de farine. Terminer en ajoutant l'œuf complet et la vanille puis le reste de la farine.

3

Pétrir la pâte 2 min jusqu'à ce qu'elle soit lisse. Couvrir de papier ciré ou d'une pellicule plastique et mettre au réfrigérateur 1 h.

Sortir la pâte du réfrigérateur et l'abaisser avec un rouleau à pâtisserie pour atteindre 1/2 cm (1/4 po) d'épaisseur.

Avec un emporte-pièce en forme de cœur, découper la pâte. Déposer les sablés sur la plaque en les espaçant, car ils vont prendre du volume. Ajouter sur chaque biscuit des moitiés de cerises au marasquin.

Cuire au four à 190 °C (375 °F), 25 min ou jusqu'à ce que les biscuits soient dorés.

Laisser refroidir complètement les sablés avant de les ranger dans une boîte métallique... ou de les manger.

Truc

Avec les blancs d'œufs restants, préparer une glace luisante (p. 101) et en couvrir d'une fine couche les biscuits encore chauds.

Bananes flambées

4 bananes en rondelles

60 ml (4 c. à soupe) de beurre

60 ml (4 c. à soupe) de cassonade ou
45 ml (3 c. à soupe) de sirop d'érable

1 pincée de cannelle

60 ml (4 c. à soupe) de rhum ou de kirsch

Crème 35 % ou glace à la vanille

Mon amoureux a un fils, Adrien,
12 ans, qui a hérité des dons
culinaires de son papa et qui
m'a confié son grand succès :
les bananes flambées.

1

Dans une grande poêle, faire revenir à feu moyen-vif, 1 min, les bananes dans le beurre.

2

Ajouter la cassonade, la cannelle et bien mélanger le tout. Faire dorer 3 min jusqu'à ce que les bananes soient légèrement caramélisées.

3

Pour flamber, baisser le feu, verser doucement le rhum sur les bananes et allumer immédiatement le rhum avec une allumette. Remuer délicatement jusqu'à ce que les flammes s'éteignent.

● Servir

Les bananes flambées sont délicieuses telles quelles, arrosées de crème 35 % ou avec une boule de glace à la vanille (p. 112).

Corbeille de fruits d'été

1 petite pastèque*

1 cantaloup

1 melon Honey Dew

1 boîte (540 ml/19 oz) de litchis

Décoration (facultatif)

Au choix : fraises, bleuets, framboises, mûres

Ou des fleurs comestibles :
pensées, violettes, capucines

Ou une poignée d'amandes effilées ou
un mélange de graines de tournesol
et de graines de citrouille

* Prendre une pastèque qui a un fond plutôt
plat afin qu'elle tienne en place sans trop
rouler. Et pourquoi ne pas choisir une variété
sans pépin pour se simplifier la tâche ?

Je réalise cette recette
aussi durant l'hiver,
quand j'ai des désirs
de vacances et que
je n'ai pas le loisir
d'aller à la mer,
à la plage…

1

Au crayon, tracer l'anse et le contour du panier sur la pastèque. À l'aide d'un couteau pointu, tailler en suivant le tracé et retirer délicatement les parties qui ne composent pas le panier. La pelure tendre de la pastèque rend facile cette opération.

2

Retirer la pulpe en utilisant une cuillère parisienne pour obtenir des boules ou, avec un petit couteau, découper des cubes. Ôter les pépins et placer dans un grand saladier.

3

Former des boules ou des cubes dans les deux autres melons et les ajouter à la pastèque en même temps que les litchis dans leur sirop.

4

Verser dans la corbeille préparée. Mettre la salade de fruits au réfrigérateur 2 h avant de la servir, telle quelle ou garnie de petits fruits, de fleurs ou de noix.

Truc

- Pour s'assurer d'une salade de fruits bien fraîche, placer les ingrédients à l'avance au réfrigérateur.
- Placer le surplus de pastèque coupé en gros morceaux au congélateur, dans un sac ou un contenant en plastique, pour préparer un granité rafraîchissant (p. 120).

4

grands verres

• **Facile** • **Rapide** •

1 l (4 tasses) de morceaux
de pastèque épépinée*

1 lime (jus seulement)

5 ml (1 c. à thé) de sucre, si désiré

* Aussi appelée « melon d'eau » pour sa
teneur en eau (plus de 90 %),
c'est le fruit idéal pour se rafraîchir.

Granité à la pastèque

Je ne saurais survivre
aux jours de canicule
sans cette recette
apaisante...

Placer les morceaux de pastèque dans un récipient ou un sac en plastique et mettre au congélateur.

2

Lorsque les morceaux sont gelés, broyer au mélangeur tous les ingrédients, 1 min, jusqu'à l'obtention d'une consistance neigeuse.

3

Verser dans les verres. Servir tel quel ou décorer de tranches de lime ou de citron ou d'une feuille de menthe.

Servir

Pour rendre cette boisson encore plus attrayante, décorer d'une fleur comestible, par exemple, une violette, une pensée ou une capucine. S'assurer qu'elles ont été cultivées biologiquement, sans herbicide ni produits chimiques.

Autrement

Pour transformer ce granité en punch pour au moins 8 personnes, ajouter un litre (4 tasses) de Ginger Ale.

Écorces confites

120

morceaux

Pelures de 1 citron, de 4 oranges
et de 1 pamplemousse

750 ml (3 tasses) de sucre

1 l (4 tasses) d'eau

Décoration

Sucre

Chocolat fondu

Je confesse un penchant particulier pour ces écorces savoureuses...
parce que c'est la première friandise que j'ai appris à préparer.
(Je pensais toujours les offrir en cadeau, mais je les mangeais toutes avant...)

Avec un couteau bien aiguisé, couper en quatre la pelure du fruit et retirez-la délicatement. Tailler des lanières dans chaque pelure. Remplir une casserole d'eau et porter à ébullition.Y mettre toutes les écorces et les faire blanchir pendant 3 min. Recommencer 2 fois.

Pendant ce temps, préparer un sirop avec le sucre et l'eau. Lorsque le sucre est dissous, y ajouter les écorces et laisser frémir, à feu doux, 3 h. Retirer les écorces et les déposer sur une grille pour qu'elles sèchent pendant 1 h.

Les écorces confites seront encore plus attrayantes avec du sucre ou du chocolat. Pour les enrober de sucre, mettre le sucre dans un petit bol et y rouler les écorces.

On peut aussi faire fondre du chocolat et y tremper une extrémité de l'écorce confite. Remettre sur une grille pour que le chocolat durcisse.

Présentation

Pour offrir les écorces confites, préparer des petits balluchons en découpant des carrés dans le papier plastique transparent. Déposer les écorces confites au centre et relever les 4 pointes du carré qui seront maintenues par des rubans fins aux couleurs contrastantes.

Conservation

Se garde plusieurs mois dans une boîte métallique ou un contenant en verre.

Table des matières